KB171549

부모와 자식간의

더 나은 대화를 위한 10가지 방법

아이들은 우리의 말을 잘 듣지 않는다
그러나 우리의 행동을 따라 한다

지은이 혜천(慧天) 이지해

아이의 마음을 이해하는 첫 걸음은 대화에서 시작됩니다.

아이와의 대화는 단순한 말의 교환이 아닙니다
그것은 아이의 마음을 이해하고
사랑과 신뢰를 쌓아가는 중요한 과정입니다
부모와 자식 간의 더 나은 대화를 위한 10가지 방법은
부모와 자녀가 더 깊고 의미 있는 소통을 통해
서로를 더 잘 이해하고, 관계를 강화하는
방법을 제시합니다
이 책은 단순한 지침서가 아닙니다
이는 당신과 아이의 미래를 밝히는
소중한 등불이 될 것입니다
자녀와의 대화 속에서
기쁨과 성장을 발견하고
함께 꿈을 키워나가세요

부모와 자식간의

더 나은 대화를 위한 10가지 방법

발행: 2024년 05월 24일
지은이: 혜천(慧天) 이지해 (평강사임당)
편집: 최윤경 / **디자인:** 최윤경

펴낸이: 한건희
펴낸곳: 주식회사 부크크
출판사등록: 2014.07.15.(제2014-16호)
주 소: 서울특별시 금천구 가산디지털1로 119 SK트윈타워 A동 305호
전 화: 1670-8316
전자우편: info@bookk.co.kr

ISBN 979-11-410-8635-0

www.bookk.co.kr

차례

부모와 자식 간의

신뢰와 유대감을 강화하기 위해서는

경청, 공감, 솔직함, 간결한 소통,

그리고 꾸준한 대화가 필요합니다

프롤로그 Prologue

가정은 아이의 첫 사회적 경험이 이루어지는 곳입니다. 부모와 자식 간의 소통은 아이의 정서적, 사회적 발달에 큰 영향을 미칩니다. 그러나 일상 속에서 바쁜 생활에 쫓기다 보면, 우리는 자주 소통의 중요성을 잊고 맙니다. 대화는 단순히 말을 주고받는 것이 아니라, 서로의 마음을 이해하고, 신뢰를 쌓아가는 과정입니다.

부모와 자식 간의 대화는 아이의 성장 과정에서 필수적인 요소입니다. 아이가 성장하면서 경험하는 기쁨과 슬픔, 성공과 실패를 부모와 공유할 때, 아이는 자신의 감정을 더 잘 이해하고 표현하는 법을 배웁니다. 이는 아이가 정서적으로 건강하게 자라는 데 중요한 역할을 합니다. 그러나 많은 부모들은 아이와의 대화에서 어떻게 접근해야 할지, 어떤 방식으로 소통해야 할지에 대해 어려움을 느낍니다.

이 책은 이러한 고민을 해결하기 위해 부모와 자식 간의 더 나은 대화를 위한 10가지 방법을 제시합니다. 이 방법들은 단순한 대화 기술을 넘어, 자녀의 정서적 안정과 자아 존중감을 높이고, 사회적 능력과 창의력을 발달시키며, 문제 해결 능력을 키우는 데 큰 도움을 줄 것입니다. 또한, 꾸준한 소통을 통해 부모와 자녀 간의 신뢰를 강화하고, 가족의 전체적인 행복을 증진시키는 것을 목표로 합니다.

첫 장에서는 부모와 자식 간의 건강한 관계가 왜 중요한지 설명하고, 소통이 관계 형성에 어떤 역할을 하는지 강조합니다. 이어서 적극적으로 듣기, 개방형 질문하기, 현재에 집중하기 등 구체적인 대화 방법들을 소개합니다. 예를 들어, 자녀의 이야기에 귀 기울이기, 자녀의 감정을 인정하고 공감하기, 그리고 자녀와의 대화를 통해 긍정적인 피드백을 주는 방법 등을 다룹니다. 이 모든 방법들은 일상 생활에서 쉽게 적용할 수 있으며, 부모와 자녀 모두에게 긍정적인 변화를 가져올 것입니다.

또한, 책에서는 자녀의 연령대와 발달 단계에 맞는 대화 방법도 함께 제시합니다. 어린 아이부터 청소년에 이르기까지 각 연령대에 맞는 적절한 소통 방식을 소개하여, 부모가 자녀와의 대화를 더욱 효과적으로 이끌어갈 수 있도록 도와줍니다. 이를 통해 부모는 자녀의 발달 특성을 이해하고, 자녀가 필요로 하는 지원을 적절하게 제공할 수 있을 것입니다.

마지막으로, 이 책을 통해 제시된 방법들을 꾸준히 실천하는 것이 중요합니다. 처음에는 어색하고 어렵게 느껴질 수 있지만, 시간이 지남에 따라 자연스럽게 대화가 일상화되고, 서로의 마음을 더 깊이 이해하게 될 것입니다. 이 책이 부모와 자식 간의 더 나은 소통을 위한 여정에 작은 도움이 되기를 바랍니다.

이제, 함께 시작해 봅시다. 부모와 자식 간의 더 나은 대화를 위한 첫 걸음을 내딛는 순간입니다. 서로에게 마음을 열고, 진정한 소통의 기쁨을 경험해 보세요. 이 여정은 당신과 자녀 모두에게 큰 변화를 가져다 줄 것입니다. 소통을 통해 자녀의 마음속에 다리를 놓고, 그 다리를 통해 더 깊고 의미 있는 관계를 만들어 나가기를 바랍니다.

감사합니다.

2024년 05월 25일 혜천(慧天) 이지해

서 문

부모와 자식 간의 소통의 중요성

부모와 자녀 간의 건강한 관계를 위해 효과적인 소통이 필요하며, 이를 위한 방법으로는 경청, 개방형 질문, 현재에 집중, 충고 피하기, 공감, 긍정적인 피드백, 솔직한 표현, 반복 피하기, 간결한 말, 그리고 꾸준한 대화가 있습니다.

관계의 씨앗

부모와 자식 간의 관계는 자녀의 전반적인 발달과 행복에 중요한 영향을 미치며, 건강한 관계를 유지하는 것은 자녀의 정서적, 사회적, 학습적 능력에 긍정적인 영향을 줍니다.

부모와 자식 간의 관계는 인생에서 가장 중요한 관계 중 하나입니다. 이 관계는 자녀의 정서적 안정과 자아 형성에 깊은 영향을 미칩니다. 부모의 역할은 자녀에게 사랑과 지지를 제공하는 것입니다. 이러한 지원은 자녀가 성장하면서 자아 존중감을 갖고, 사회적 관계를 형성하며, 성공적인 인생을 살아가는 데 중요한 역할을 합니다. 건강한 부모 자식 관계는 자녀의 정서적 안정과 정신적 건강을 촉진합니다.

부모와 자식 간의 관계는 자녀의 초기 발달에 큰 영향을 미칩니다. 유아기와 어린 시절, 부모는 자녀의 첫 번째 교사이자 보호자로서 중요한 역할을 합니다. 이 시기에 형성된 관계는 자녀가 세상을 어떻게 인식하고, 다른 사람들과 어떻게 상호작용하는지를 결정하는 기초가 됩니다. 부모의 사랑과 지지는 자녀가 자신을 가치 있게 여기고, 긍정적인 자아 이미지를 형성하는 데 필수적입니다.

부모와 자식 간의 관계는 신뢰를 기반으로 해야 합니다. 신뢰는 자녀가 부모에게 자신의 감정과 생각을 솔직하게 표현할 수 있게 합니다. 이는 자녀가 성장하면서 발생할 수 있는 다양한 문제들에 대해 부모와 상의할 수 있도록 도와줍니다. 신뢰가 없는 관계는 자녀가 자신의 문제를 혼자 해결하려고 하게 만들고, 이는 자녀의 정서적 부담을 증가시킬 수 있습니다.

건강한 부모 자식 관계는 자녀의 사회적 능력을 향상시킵니다. 부모가 자녀에게 긍정적인 소통 방식을 모델링하면, 자녀는 이를 통해 타인과의 관계에서도 긍정적인 소통 방식을 사용할 가능성이 높아집니다. 이는 자녀가 친구를 사귀고, 갈등을 해결하며, 팀으로 협력하는 능력을 키우는 데 도움을 줍니다.

부모와 자식 간의 관계는 자녀의 학습 능력에도 영향을 미칩니다. 부모가 자녀에게 학습에 대한 긍정적인 태도를 심어주고, 학습 과정에서 지지해주면 자녀는 더 높은 학업 성취도를 보일 가능성이 큽니다. 이는 자녀가 학교에서 좋은 성적을 거두는 것뿐만 아니라, 평생 학습에 대한 긍정적인 태도를 갖게 하는 데도 중요합니다.

부모와 자식 간의 관계는 자녀의 자아 존중감을 형성하는 데 중요한 역할을 합니다. 자녀가 부모에게 사랑받고 존중받는다고 느낄 때, 자아 존중감이 높아집니다. 이는 자녀가 자신의 가치를 인정하고, 자신감 있게 행동하며, 어려움에 직면했을 때 더욱 쉽게 극복할 수 있게 합니다.

부모와 자식 간의 관계는 자녀의 정서적 안정성을 높입니다. 부모가 자녀의 감정에 공감하고, 정서적으로 지원해주면 자녀는 정서적으로 안정된 상태를 유지할 수 있습니다. 이는 자녀가 스트레스 상황에서도 긍정적으로 대응하고, 감정을 건강하게 표현할 수 있도록 도와줍니다.

부모와 자식 간의 관계는 자녀의 문제 해결 능력을 향상시킵니다. 부모가 자녀와 함께 문제를 해결하는 경험을 통해 자녀는 문제 해결 과정을 배우고, 자신감 있게 문제에 접근할 수 있게 됩니다. 이는 자녀가 성인이 되었을 때 독립적으로 문제를 해결할 수 있는 능력을 갖추는 데 중요한 역할을 합니다.

부모와 자식 간의 관계는 자녀의 책임감을 키웁니다. 부모가 자녀에게 책임감을 가르치고, 자녀가 책임을 질 때 지지해주면 자녀는 자신의 행동에 대해 책임을 지는 법을 배우게 됩니다. 이는 자녀가 성인이 되었을 때 책임감 있는 행동을 할 수 있도록 도와줍니다.

마지막으로, 부모와 자식 간의 건강한 관계는 가족의 전체적인 행복을 증진시킵니다. 가족 구성원들이 서로를 존중하고, 지원하며, 사랑하는 관계는 가족의 유대감을 강화하고, 모든 구성원이 행복하고 만족스러운 삶을 살 수 있도록 도와줍니다.

소통의 나무

소통은 부모와 자식 간의 관계를 강화하고, 자녀의 정서적, 사회적, 학습적 발달을 돕는 중요한 도구입니다.

소통은 부모와 자식 간의 관계를 튼튼하게 키우는 나무의 역할을 합니다. 소통을 통해 부모는 자녀의 필요와 고민을 파악할 수 있으며, 자녀는 부모에게 신뢰와 지지를 받을 수 있습니다. 소통은 상호 이해와 공감을 촉진하며, 부모와 자식 간의 유대감을 강화합니다.

효과적인 소통은 부모와 자식 간의 관계를 강화하는 중요한 도구입니다. 부모가 자녀의 말을 경청하고, 이해하며, 공감할 때 자녀는 자신이 존중받고 있다고 느낍니다. 이는 자녀가 부모에게 더 많은 신뢰를 갖게 하고, 어려운 상황에서도 부모에게 의지할 수 있게 합니다.

소통은 갈등을 해결하는 데 중요한 역할을 합니다. 부모와 자식 간의 갈등은 자연스러운 현상이며, 이를 건강하게 해결하는 것이 중요합니다. 효과적인 소통은 갈등을 해결하고, 서로의 입장을 이해하며, 더 나은 해결책을 찾을 수 있게 합니다. 이는 부모와 자식 간의 관계를 더욱 강화하는 데 도움이 됩니다.

소통은 자녀의 정서적 발달을 돕습니다. 부모가 자녀와 소통할 때 자녀는 자신의 감정을 표현하고, 이를 이해받는 경험을 하게 됩니다. 이는 자녀가 정서적으로 안정된 상태를 유지하고, 감정을 건강하게 표현할 수 있도록 돕습니다. 또한, 부모의 공감과 지지는 자녀의 정서적 발달에 긍정적인 영향을 미칩니다.

소통은 자녀의 사회적 능력을 키우는 데 중요한 역할을 합니다. 부모가 자녀와 소통하는 방식을 통해 자녀는 타인과의 소통 방법을 배우게 됩니다. 이는 자녀가 친구를 사귀고, 갈등을 해결하며, 협력하는 능력을 키우는 데 도움을 줍니다. 부모와의 소통 경험은 자녀가 사회적 관계를 형성하는 데 중요한 기초가 됩니다.

소통은 자녀의 학습 능력을 향상시킵니다. 부모가 자녀와 학습에 대해 이야기하고, 학습 과정을 지지할 때 자녀는 학습에 대한 긍정적인 태도를 가지게 됩니다. 이는 자녀가 학업 성취를 높이는 데 도움을 줍니다. 또한, 부모의 지지와 격려는 자녀가 학습에서 발생하는 어려움을 극복하는 데 큰 도움이 됩니다.

소통은 자녀의 자아 존중감을 높이는 데 중요한 역할을 합니다. 부모가 자녀의 말을 경청하고, 의견을 존중하며, 긍정적인 피드백을 제공할 때 자녀는 자신을 가치 있게 여기는 법을 배우게 됩니다. 이는 자녀가 자신감 있게 행동하고, 자신의 능력을 믿게 만드는 중요한 요소입니다.

소통은 자녀의 문제 해결 능력을 키웁니다. 부모가 자녀와 함께 문제를 해결하는 과정을 통해 자녀는 문제 해결 방법을 배우고, 자신감을 갖게 됩니다. 이는 자녀가 성인이 되었을 때 독립적으로 문제를 해결할 수 있는 능력을 갖추는 데 중요한 역할을 합니다.

소통은 자녀의 책임감을 형성하는 데 도움을 줍니다. 부모가 자녀에게 책임감을 가르치고, 이를 지지하는 과정을 통해 자녀는 자신의 행동에 대해 책임을 지는 법을 배우게 됩니다. 이는 자녀가 성인이 되었을 때 책임감 있는 행동을 할 수 있도록 돕습니다.

마지막으로, 소통은 가족의 전체적인 행복을 증진시킵니다. 가족 구성원들이 서로를 존중하고, 지원하며, 사랑하는 관계는 가족의 유대감을 강화하고, 모든 구성원이 행복하고 만족스러운 삶을 살 수 있도록 도와줍니다.

책의 열매

이 책은 부모와 자식 간의 소통을 개선하기 위한 구체적이고 실행 가능한 기술들을 제시하여, 더 나은 이해와 유대감을 형성하는 데 도움을 줍니다.

이 책은 부모와 자식 간의 소통을 개선하는 데 필요한 실질적인 방법들을 제시합니다. 부모와 자식 간의 관계에서 흔히 발생하는 문제들을 해결하기 위해, 구체적이고 실행 가능한 소통 기술을 제공하며, 이를 통해 더 나은 이해와 유대감을 형성할 수 있도록 돕습니다. 이 책의 열매는 부모와 자식 간의 관계가 더 깊고, 의미 있게 성장할 수 있도록 하는 데 있습니다.

책의 첫 번째 열매는 효과적인 경청 기술입니다. 부모는 자녀의 말을 경청하는 법을 배우고, 이를 통해 자녀의 감정과 생각을 이해할 수 있습니다. 경청은 부모와 자녀 간의 신뢰를 강화하고, 자녀가 자신의 감정을 자유롭게 표현할 수 있도록 돕습니다.

두 번째 열매는 개방형 질문 기술입니다. 부모는 자녀에게 개방형 질문을 통해 자녀의 생각과 감정을 이끌어낼 수 있습니다. 이는 자녀가 자신의 의견을 자유롭게 표현하고, 부모와의 대화에서 자신감을 가질 수 있도록 돕습니다.

세 번째 열매는 현재에 집중하는 기술입니다. 부모는 자녀와의 대화에서 현재에 집중하고, 자녀에게 진정한 관심을 기울이는 법을 배울 수 있습니다. 이는 자녀에게 자신이 소중한 존재임을 느끼게 하고, 부모와의 관계를 강화하는 데 도움을 줍니다.

네 번째 열매는 단순한 충고를 피하는 기술입니다. 부모는 자녀의 의견을 존중하고, 자녀가 자신의 생각을 자유롭게 표현할 수 있도록 돕는 법을 배울 수 있습니다. 이는 자녀가 자신의 감정을 솔직하게 표현하고, 부모와의 대화에서 자신감을 가질 수 있도록 돕습니다.

다섯 번째 열매는 공감하는 기술입니다. 부모는 자녀의 감정을 이해하고, 이를 공감하는 법을 배울 수 있습니다. 이는 자녀가 자신의 감정을 건강하게 표현하고, 정서적으로 안정된 상태를 유지할 수 있도록 돕습니다.

여섯 번째 열매는 긍정적인 피드백을 주는 기술입니다. 부모는 자녀에게 긍정적인 피드백을 제공하고, 자녀의 자아 존중감을 높이는 법을 배울 수 있습니다. 이는 자녀가 자신감 있게 행동하고, 자신의 능력을 믿게 만드는 중요한 요소입니다.

일곱 번째 열매는 솔직하게 말하는 기술입니다. 부모는 자신의 감정과 생각을 솔직하게 표현하는 법을 배울 수 있습니다. 이는 자녀가 부모와의 대화에서 자신의 감정을 자유롭게 표현할 수 있도록 돕고, 부모와 자녀 간의 신뢰를 강화합니다.

여덟 번째 열매는 반복을 피하는 기술입니다. 부모는 같은 말을 반복하지 않고, 효과적으로 의사소통하는 법을 배울 수 있습니다. 이는 자녀가 부모의 말을 더 잘 이해하고, 대화에 더 집중할 수 있게 합니다.

아홉 번째 열매는 간결하게 말하는 기술입니다. 부모는 짧고 간결하게 말하는 법을 배울 수 있습니다. 이는 자녀가 부모의 말을 더 쉽게 이해하고, 이에 따라 행동할 수 있게 합니다.

마지막 열매는 꾸준히 대화하는 기술입니다. 부모는 일상 속에서 자녀와 자연스럽게 대화를 나누는 법을 배울 수 있습니다. 이는 자녀와의 유대감을 강화하고, 자녀가 부모에게 신뢰를 갖게 합니다.

제 1 장

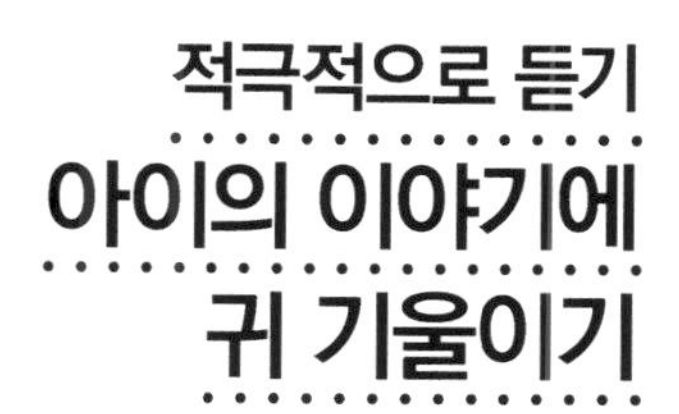

적극적으로 듣기 아이의 이야기에 귀 기울이기

부모와 자녀 간의 대화를 개선하기 위해서는 경청이 중요합니다. 경청은 신뢰 구축, 정서적 안정, 사회적 능력, 학습 능력, 그리고 자아 존중감 향상에 기여합니다. 자녀에게 집중하고, 중간에 끼어들지 않으며, 공감과 긍정적인 피드백을 제공하는 것이 경청을 실천하는 방법입니다.

경청의 뿌리

경청은 부모와 자녀 간의 신뢰를 쌓고, 자녀의 정서적 안정과 사회적 능력, 학습 능력, 자아 존중감을 향상시키는 중요한 요소입니다.

부모와 자식 간의 소통에서 경청은 가장 기본적이면서도 중요한 요소입니다. 경청은 단순히 자녀의 말을 듣는 것을 넘어서, 자녀의 감정과 생각을 진심으로 이해하려는 노력을 의미합니다. 부모가 자녀의 말을 경청하면, 자녀는 자신이 존중받고 있다고 느끼며, 이는 자녀의 자아 존중감과 신뢰감을 형성하는 데 큰 도움이 됩니다.

경청은 부모와 자녀 간의 신뢰를 쌓는 기초입니다. 자녀가 자신의 감정과 생각을 자유롭게 표현할 수 있도록 부모가 경청하면, 자녀는 부모에게 더 많은 신뢰를 갖게 됩니다. 이는 자녀가 어려운 상황에서 부모에게 의지하고, 도움을 요청할 수 있는 기반이 됩니다. 신뢰는 건강한 부모 자식 관계를 유지하는 데 필수적인 요소입니다.

경청은 자녀의 정서적 안정에 큰 영향을 미칩니다. 자녀가 자신의 감정을 부모에게 털어놓고, 이를 부모가 이해하고 공감해줄 때, 자녀는 정서적으로 안정감을 느낍니다. 이는 자녀가 스트레스 상황에서도 긍정적으로 대응할 수 있는 능력을 키우는 데 도움이 됩니다. 부모의 경청은 자녀의 정서적 발달에 중요한 역할을 합니다.

경청은 부모와 자녀 간의 상호 이해를 증진시킵니다. 부모가 자녀의 말을 경청할 때, 자녀는 자신의 입장을 명확하게 설명할 기회를 가지게 됩니다. 이는 부모가 자녀의 관점을 더 잘 이해하게 하고, 상호 간의 이해를 깊게 만듭니다. 상호 이해는 건강한 관계를 유지하는 데 중요한 요소입니다.

경청은 자녀의 문제 해결 능력을 향상시킵니다. 부모가 자녀의 말을 경청하면서 자녀와 함께 문제를 해결하는 경험을 쌓으면, 자녀는 문제 해결 과정을 배우게 됩니다. 이는 자녀가 자신감을 가지고 독립적으로 문제를 해결할 수 있는 능력을 키우는 데 중요한 역할을 합니다.

경청은 자녀의 사회적 능력을 키우는 데 도움을 줍니다. 부모가 자녀의 말을 경청하는 방식을 통해 자녀는 타인의 말을 경청하는 법을 배우게 됩니다. 이는 자녀가 친구와의 관계에서 긍정적인 소통을 하고, 갈등을 해결하며, 협력하는 능력을 키우는 데 중요한 역할을 합니다.

경청은 자녀의 학습 능력을 향상시킵니다. 부모가 자녀의 학습 과정에서 자녀의 말을 경청하면, 자녀는 학습에 대한 긍정적인 태도를 가지게 됩니다. 이는 자녀가 학습에서 발생하는 어려움을 극복하고, 더 높은 학업 성취를 이루는 데 도움이 됩니다. 부모의 경청은 자녀의 학습 동기를 강화하는 중요한 요소입니다.

경청은 자녀의 자아 존중감을 높이는 데 중요한 역할을 합니다. 부모가 자녀의 말을 경청하고, 이를 존중하며, 긍정적인 피드백을 제공할 때, 자녀는 자신을 가치 있게 여기게 됩니다. 이는 자녀가 자신감 있게 행동하고, 자신의 능력을 믿게 만드는 중요한 요소입니다.

경청은 자녀의 감정 표현 능력을 향상시킵니다. 부모가 자녀의 감정을 경청하고, 이를 이해하는 과정을 통해 자녀는 자신의 감정을 건강하게 표현하는 법을 배우게 됩니다. 이는 자녀가 자신의 감정을 긍정적으로 관리하고, 정서적으로 안정된 상태를 유지하는 데 중요한 역할을 합니다.

마지막으로, 경청은 가족의 전체적인 행복을 증진시킵니다. 가족 구성원들이 서로를 경청하고, 이해하며, 존중하는 관계는 가족의 유대감을 강화하고, 모든 구성원이 행복하고 만족스러운 삶을 살 수 있도록 도와줍니다. 부모의 경청은 가족의 조화와 행복을 유지하는 데 중요한 역할을 합니다.

실천의 물

경청을 실천하기 위해서는 자녀에게 집중하고, 중간에 끼어들지 않으며, 공감과 긍정적인 피드백을 제공하는 등의 구체적인 방법을 사용하는 것이 중요합니다.

경청을 실천하기 위해서는 몇 가지 구체적인 방법이 필요합니다. 첫째, 자녀와 대화할 때 모든 주의를 자녀에게 집중해야 합니다. 핸드폰이나 다른 방해 요소를 멀리하고, 자녀의 눈을 바라보며 대화에 집중하는 것이 중요합니다. 이는 자녀에게 진정한 관심을 기울이고 있음을 보여줍니다.

둘째, 자녀가 말할 때 중간에 끼어들지 않아야 합니다. 자녀가 자신의 감정과 생각을 자유롭게 표현할 수 있도록 끝까지 들어주는 것이 중요합니다. 부모가 중간에 끼어들면 자녀는 자신의 의견이 존중받지 못한다고 느낄 수 있습니다. 이는 자녀가 대화에서 소극적으로 변하게 만들 수 있습니다.

셋째, 자녀의 말을 반복하거나 요약해주는 것이 좋습니다. 이는 자녀가 자신의 말을 부모가 잘 이해하고 있다는 느낌을 받게 하며, 대화의 명확성을 높이는 데 도움이 됩니다. 예를 들어, "네가 말한 것은 이런 거지?"라고 요약해주는 것이 좋습니다.

넷째, 자녀의 감정을 인정하고 공감하는 표현을 사용하는 것이 중요합니다. 자녀가 슬프거나 화가 났을 때 그 감정을 이해하고, "네가 많이 속상했겠구나", "그 상황에서 정말 힘들었겠어"와 같은 말로 공감하는 것이 중요합니다. 이는 자녀에게 자신이 이해받고 있음을 느끼게 합니다.

다섯째, 자녀의 말에 대한 긍정적인 피드백을 제공하는 것이 필요합니다. 자녀가 자신의 의견을 표현했을 때, 이를 존중하고 긍정적으로 평가하는 것이 중요합니다. 이는 자녀가 자신의 의견을 더 많이 표현하게 만들며, 부모와의 대화에서 자신감을 가질 수 있도록 돕습니다.

여섯째, 자녀와의 대화를 통해 문제를 함께 해결하는 방법을 찾는 것이 중요합니다. 자녀가 문제를 털어놓았을 때, 부모가 함께 해결책을 모색하는 것은 자녀에게 큰 도움이 됩니다. 이는 자녀가 문제 해결 능력을 키우는 데 중요한 역할을 합니다.

일곱째, 자녀의 말을 경청하는 동안 비언어적 표현을 사용하는 것이 좋습니다. 고개를 끄덕이거나 미소를 지으며 자녀의 말을 듣는 것은 자녀에게 자신이 존중받고 있다는 느낌을 줍니다. 이는 대화를 더 원활하게 만드는 데 도움이 됩니다.

여덟째, 자녀와의 대화에서 질문을 통해 자녀의 생각을 더 깊이 이해하는 것이 중요합니다. 개방형 질문을 통해 자녀의 생각을 이끌어내는 것은 자녀가 자신의 의견을 더 명확하게 표현하게 합니다. 이는 부모와 자녀 간의 상호 이해를 증진시키는 데 도움이 됩니다.

아홉째, 자녀의 말을 경청하는 동안 집중력을 유지하는 것이 중요합니다. 자녀의 말에 집중하지 않고 다른 생각을 하거나 딴짓을 하면 자녀는 자신이 존중받지 못한다고 느낄 수 있습니다. 이는 자녀와의 관계를 악화시킬 수 있습니다.

마지막으로, 자녀와의 대화에서 열린 마음을 유지하는 것이 중요합니다. 부모는 자신의 의견을 강요하지 않고, 자녀의 생각과 감정을 있는 그대로 받아들여야 합니다. 이는 자녀가 자신의 의견을 자유롭게 표현할 수 있는 환경을 조성하는 데 도움이 됩니다.

성장의 꽃

경청은 자녀의 자신감, 신뢰감, 정서적 안정성, 사회적 능력, 학습 능력, 자아 존중감, 감정 표현 능력, 문제 해결 능력, 책임감, 그리고 가족의 전체적인 행복을 증진시키는 중요한 요소입니다.

경청을 통해 자녀는 자신감을 얻게 됩니다. 부모가 자녀의 말을 진심으로 경청하면 자녀는 자신의 의견이 존중받고 있다는 느낌을 받게 됩니다. 이는 자녀가 자신의 의견을 더 많이 표현하게 만들며, 자아 존중감을 높이는 데 큰 도움이 됩니다. 자녀는 자신이 중요한 존재임을 느끼게 됩니다.

경청은 자녀의 신뢰감을 향상시키는 데 중요한 역할을 합니다. 자녀가 자신의 감정과 생각을 자유롭게 표현할 수 있도록 부모가 경청하면, 자녀는 부모에게 더 많은 신뢰를 갖게 됩니다. 이는 자녀가 어려운 상황에서 부모에게 의지하고, 도움을 요청할 수 있는 기반이 됩니다. 신뢰는 건강한 부모 자식 관계를 유지하는 데 필수적인 요소입니다.

경청은 자녀의 정서적 안정성을 높입니다. 자녀가 자신의 감정을 부모에게 털어놓고, 이를 부모가 이해하고 공감해줄 때, 자녀는 정서적으로 안정감을 느낍니다. 이는 자녀가 스트레스 상황에서도 긍정적으로 대응할 수 있는 능력을 키우는 데 도움이 됩니다. 부모의 경청은 자녀의 정서적 발달에 중요한 역할을 합니다.

경청은 자녀의 사회적 능력을 키우는 데 도움을 줍니다. 부모가 자녀의 말을 경청하는 방식을 통해 자녀는 타인의 말을 경청하는 법을 배우게 됩니다. 이는 자녀가 친구와의 관계에서 긍정적인 소통을 하고, 갈등을 해결하며, 협력하는 능력을 키우는 데 중요한 역할을 합니다. 부모와의 소통 경험은 자녀가 사회적 관계를 형성하는 데 중요한 기초가 됩니다.

경청은 자녀의 학습 능력을 향상시킵니다. 부모가 자녀의 학습 과정에서 자녀의 말을 경청하면, 자녀는 학습에 대한 긍정적인 태도를 가지게 됩니다. 이는 자녀가 학습에서 발생하는 어려움을 극복하고, 더 높은 학업 성취를 이루는 데 도움이 됩니다. 부모의 경청은 자녀의 학습 동기를 강화하는 중요한 요소입니다.

경청은 자녀의 자아 존중감을 높이는 데 중요한 역할을 합니다. 부모가 자녀의 말을 경청하고, 이를 존중하며, 긍정적인 피드백을 제공할 때 자녀는 자신을 가치 있게 여기게 됩니다. 이는 자녀가 자신감 있게 행동하고, 자신의 능력을 믿게 만드는 중요한 요소입니다.

경청은 자녀의 감정 표현 능력을 향상시킵니다. 부모가 자녀의 감정을 경청하고, 이를 이해하는 과정을 통해 자녀는 자신의 감정을 건강하게 표현하는 법을 배우게 됩니다. 이는 자녀가 자신의 감정을 긍정적으로 관리하고, 정서적으로 안정된 상태를 유지하는 데 중요한 역할을 합니다.

경청은 자녀의 문제 해결 능력을 키웁니다. 부모가 자녀와 함께 문제를 해결하는 과정을 통해 자녀는 문제 해결 방법을 배우고, 자신감을 갖게 됩니다. 이는 자녀가 성인이 되었을 때 독립적으로 문제를 해결할 수 있는 능력을 갖추는 데 중요한 역할을 합니다.

경청은 자녀의 책임감을 형성하는 데 도움을 줍니다. 부모가 자녀에게 책임감을 가르치고, 이를 지지하는 과정을 통해 자녀는 자신의 행동에 대해 책임을 지는 법을 배우게 됩니다. 이는 자녀가 성인이 되었을 때 책임감 있는 행동을 할 수 있도록 돕습니다.

마지막으로, 경청은 가족의 전체적인 행복을 증진시킵니다. 가족 구성원들이 서로를 경청하고, 이해하며, 존중하는 관계는 가족의 유대감을 강화하고, 모든 구성원이 행복하고 만족스러운 삶을 살 수 있도록 도와줍니다. 부모의 경청은 가족의 조화와 행복을 유지하는 데 중요한 역할을 합니다.

부모와 자식 간의

신뢰와 유대감을 강화하기 위해서는

경청, 공감, 솔직함, 간결한 소통,

그리고 꾸준한 대화가 필요합니다

제 2 장

개방형 질문하기
아이의 생각을 이끌어내는 질문법

개방형 질문은 부모와 자녀 간의 대화를 향상시키는 중요한 도구로, 자녀의 사고력, 창의력, 감정 표현, 자아 존중감, 의사소통 능력, 학습 동기, 문제 해결 능력, 상호 이해를 증진하고 가족 간의 소통을 개선합니다.

질문의 열쇠

개방형 질문은 자녀의 사고력, 창의력, 감정 표현, 자아 존중감, 의사소통 능력, 학습 동기, 문제 해결 능력, 상호 이해, 그리고 가족의 소통을 향상시키는 중요한 도구입니다.

개방형 질문은 자녀의 생각과 감정을 자유롭게 표현하도록 돕는 중요한 도구입니다. 닫힌 질문은 '예'나 '아니오'로 간단히 대답할 수 있는 반면, 개방형 질문은 더 깊이 있는 답변을 유도합니다. 예를 들어, "오늘 학교에서 뭐 배웠어?"라는 질문은 "수학이요"라는 짧은 대답을 얻을 수 있지만, "오늘 학교에서 가장 기억에 남는 일은 뭐야?"라고 물으면 자녀는 더 상세하고 의미 있는 이야기를 나눌 수 있습니다.

개방형 질문은 자녀의 사고력과 창의력을 자극합니다. 닫힌 질문은 제한된 답변을 요구하기 때문에 자녀의 사고를 제한할 수 있지만, 개방형 질문은 자녀가 자신의 생각을 자유롭게 표현하고, 다양한 관점을 탐구하도록 격려합니다. 이는 자녀가 창의적으로 사고하고, 문제를 해결하는 능력을 키우는 데 큰 도움이 됩니다.

개방형 질문은 자녀와의 대화를 더 풍부하게 만듭니다. 닫힌 질문은 대화를 빨리 끝내는 경향이 있지만, 개방형 질문은 대화를 지속시키고, 더 많은 정보를 교환할 수 있게 합니다. 이는 부모와 자녀 간의 관계를 강화하고, 서로에 대한 이해를 깊게 합니다.

개방형 질문은 자녀의 감정 표현을 촉진합니다. 닫힌 질문은 감정을 표현할 기회를 제한할 수 있지만, 개방형 질문은 자녀가 자신의 감정을 더 잘 표현하도록 돕습니다. 예를 들어, "오늘 기분 어땠어?"라는 질문은 "좋아요"나 "나빠요"라는 짧은 대답을 얻을 수 있지만, "오늘 가장 행복했던 순간은 언제였어?"라고 물으면 자녀는 더 구체적이고 감정적인 답변을 하게 됩니다.

개방형 질문은 자녀의 자아 존중감을 높이는 데 도움을 줍니다. 부모가 자녀에게 개방형 질문을 통해 관심을 보일 때, 자녀는 자신이 중요하고 존중받고 있다고 느끼게 됩니다. 이는 자녀의 자아 존중감을 높이고, 자신감을 키우는 데 중요한 역할을 합니다.

개방형 질문은 자녀의 의사소통 능력을 향상시킵니다. 자녀가 개방형 질문에 답하면서 자신의 생각과 감정을 명확하게 표현하는 법을 배우게 됩니다. 이는 자녀가 친구나 교사와의 대화에서도 자신의 의견을 잘 전달할 수 있게 하는 중요한 기술입니다.

개방형 질문은 자녀의 학습 동기를 자극합니다. 부모가 자녀에게 학습과 관련된 개방형 질문을 하면, 자녀는 자신이 배운 내용을 더 잘 이해하고, 이를 설명하는 과정을 통해 학습 동기가 강화됩니다. 예를 들어, "오늘 수업에서 가장 흥미로웠던 내용은 뭐였어?"라는 질문은 자녀가 배운 내용을 다시 생각하고, 더 깊이 이해하게 합니다.

개방형 질문은 자녀의 문제 해결 능력을 키웁니다. 부모가 자녀에게 문제 해결과 관련된 개방형 질문을 하면, 자녀는 다양한 해결책을 탐구하고, 문제를 해결하는 능력을 키우게 됩니다. 예를 들어, "이 문제를 어떻게 해결할 수 있을까?"라는 질문은 자녀가 창의적으로 생각하고, 다양한 접근 방법을 시도하게 합니다.

개방형 질문은 부모와 자녀 간의 상호 이해를 증진시킵니다. 부모가 자녀에게 개방형 질문을 통해 자녀의 생각과 감정을 더 깊이 이해할 수 있게 됩니다. 이는 부모가 자녀의 입장을 더 잘 이해하게 하고, 상호 간의 이해를 깊게 만듭니다.

마지막으로, 개방형 질문은 가족의 전체적인 소통을 개선합니다. 가족 구성원들이 서로에게 개방형 질문을 하면서 대화를 나누면, 가족의 유대감이 강화되고, 모든 구성원이 서로를 더 잘 이해할 수 있게 됩니다. 이는 가족의 조화와 행복을 유지하는 데 중요한 역할을 합니다.

열린 문

개방형 질문은 자녀가 자신의 생각과 감정을 자유롭게 표현하고, 부모와의 상호 이해를 높이며, 자녀의 정서적 안정과 자아 존중감을 향상시키는 데 중요한 역할을 합니다.

개방형 질문은 자녀의 생각과 감정을 자유롭게 표현할 수 있도록 돕습니다. 예를 들어, "오늘 학교에서 뭐가 가장 재미있었어?"라는 질문은 자녀가 하루 중 가장 인상 깊었던 순간을 떠올리고, 그 경험을 공유하도록 격려합니다. 이는 자녀가 자신의 하루를 반추하며, 긍정적인 경험을 다시 느낄 수 있게 합니다.

"네가 생각하는 최고의 친구는 어떤 친구야?"라는 질문은 자녀가 친구 관계에 대해 생각하고, 자신의 기준을 설명할 수 있는 기회를 제공합니다. 자녀는 자신이 어떤 특성을 중요하게 여기는지를 표현하면서, 부모와 자신의 생각을 공유하게 됩니다. 이는 자녀와 부모 간의 상호 이해를 높이는 데 큰 도움이 됩니다.

"오늘 가장 어려웠던 순간은 뭐였어?"라는 질문은 자녀가 자신의 어려움을 솔직하게 표현할 수 있도록 돕습니다. 자녀는 자신의 감정을 설명하고, 부모의 지지와 이해를 받을 수 있습니다. 이는 자녀가 스트레스를 해소하고, 정서적으로 안정감을 느끼는 데 도움이 됩니다.

"이번 주에 가장 기대되는 일은 뭐야?"라는 질문은 자녀가 자신의 기대와 목표를 표현할 수 있는 기회를 제공합니다. 자녀는 자신의 계획과 꿈을 공유하면서, 부모와 함께 미래를 준비하는 느낌을 받을 수 있습니다. 이는 자녀의 동기부여를 높이는 데 중요한 역할을 합니다.

"오늘 수업에서 가장 흥미로웠던 내용은 뭐였어?"라는 질문은 자녀가 학습에 대해 다시 생각하고, 배운 내용을 정리하는 데 도움을 줍니다. 자녀는 학습 내용을 설명하면서, 자신이 배운 것을 더 잘 이해하게 됩니다. 이는 자녀의 학업 성취도를 높이는 데 큰 도움이 됩니다.

"네가 가장 좋아하는 가족 활동은 뭐야?"라는 질문은 자녀가 가족과 함께하는 시간을 어떻게 생각하는지를 표현할 수 있게 합니다. 자녀는 자신이 좋아하는 활동을 설명하면서, 가족과의 유대감을 강화할 수 있습니다. 이는 가족의 행복을 증진시키는 데 중요한 역할을 합니다.

"오늘 가장 웃겼던 순간은 뭐였어?"라는 질문은 자녀가 자신의 유쾌한 경험을 공유하도록 돕습니다. 자녀는 웃겼던 순간을 설명하면서, 긍정적인 감정을 다시 느낄 수 있게 됩니다. 이는 자녀의 정서적 안정을 도모하는 데 중요한 역할을 합니다.

"네가 가장 자랑스러웠던 순간은 뭐야?"라는 질문은 자녀가 자신의 성취를 공유하고, 자긍심을 느낄 수 있게 합니다. 자녀는 자신의 성취를 설명하면서, 부모의 인정과 칭찬을 받을 수 있습니다. 이는 자녀의 자아 존중감을 높이는 데 큰 도움이 됩니다.

"네가 가장 감동받았던 순간은 뭐야?"라는 질문은 자녀가 자신의 감동적인 경험을 공유하도록 돕습니다. 자녀는 감동받았던 순간을 설명하면서, 자신의 감정을 더 깊이 이해하게 됩니다. 이는 자녀의 감정 표현 능력을 향상시키는 데 중요한 역할을 합니다.

마지막으로, "네가 가장 궁금한 것은 뭐야?"라는 질문은 자녀가 자신의 호기심을 표현하고, 부모와 함께 탐구할 수 있는 기회를 제공합니다. 자녀는 자신의 궁금증을 설명하면서, 부모의 지지와 안내를 받을 수 있습니다. 이는 자녀의 학습 동기와 탐구 정신을 높이는 데 큰 도움이 됩니다.

탐험의 길

개방형 질문은 자녀의 사고력, 비판적 사고 능력, 언어 능력, 자아 존중감, 감정 표현 능력, 학습 동기, 문제 해결 능력, 상호 이해, 창의력, 그리고 독립성을 향상시키는 중요한 도구입니다.

개방형 질문은 자녀의 사고력과 표현력을 키우는 데 중요한 역할을 합니다. 자녀가 개방형 질문에 답하면서 자신의 생각을 조직하고, 논리적으로 표현하는 법을 배우게 됩니다. 이는 자녀가 창의적으로 사고하고, 문제를 해결하는 능력을 키우는 데 큰 도움이 됩니다.

개방형 질문은 자녀의 비판적 사고 능력을 향상시킵니다. 자녀는 개방형 질문에 답하면서 다양한 관점을 고려하고, 자신의 의견을 형성하게 됩니다. 이는 자녀가 복잡한 문제를 분석하고, 다양한 해결책을 탐구하는 능력을 키우는 데 중요한 역할을 합니다.

개방형 질문은 자녀의 언어 능력을 향상시킵니다. 자녀가 자신의 생각을 말로 표현하면서 어휘를 확장하고, 문장 구조를 이해하게 됩니다. 이는 자녀가 더 명확하고 효과적으로 의사소통할 수 있도록 돕습니다. 언어 능력의 향상은 자녀의 학업 성취에도 긍정적인 영향을 미칩니다.

개방형 질문은 자녀의 자아 존중감을 높이는 데 도움을 줍니다. 자녀가 자신의 의견을 표현하고, 부모로부터 긍정적인 피드백을 받을 때 자아 존중감이 향상됩니다. 이는 자녀가 자신을 가치 있게 여기고, 자신감 있게 행동하는 데 중요한 요소입니다.

개방형 질문은 자녀의 감정 표현 능력을 향상시킵니다. 자녀가 자신의 감정을 말로 표현하면서, 자신의 감정을 더 잘 이해하고 관리하게 됩니다. 이는 자녀가 정서적으로 안정된 상태를 유지하고, 감정을 건강하게 표현할 수 있도록 돕습니다.

개방형 질문은 자녀의 학습 동기를 자극합니다. 부모가 자녀에게 학습과 관련된 개방형 질문을 하면, 자녀는 배운 내용을 더 잘 이해하고, 이를 설명하는 과정을 통해 학습 동기가 강화됩니다. 이는 자녀의 학업 성취를 높이는 데 큰 도움이 됩니다.

개방형 질문은 자녀의 문제 해결 능력을 키웁니다. 부모가 자녀에게 문제 해결과 관련된 개방형 질문을 하면, 자녀는 다양한 해결책을 탐구하고, 문제를 해결하는 능력을 키우게 됩니다. 이는 자녀가 성인이 되었을 때 독립적으로 문제를 해결할 수 있는 능력을 갖추는 데 중요한 역할을 합니다.

개방형 질문은 자녀와 부모 간의 상호 이해를 증진시킵니다. 부모가 자녀에게 개방형 질문을 통해 자녀의 생각과 감정을 더 깊이 이해할 수 있게 됩니다. 이는 부모가 자녀의 입장을 더 잘 이해하게 하고, 상호 간의 이해를 깊게 만듭니다.

개방형 질문은 자녀의 창의력을 자극합니다. 자녀가 개방형 질문에 답하면서 자신의 창의적인 아이디어를 탐구하고, 표현하는 법을 배우게 됩니다. 이는 자녀가 다양한 관점에서 문제를 바라보고, 창의적으로 해결하는 능력을 키우는 데 중요한 역할을 합니다.

마지막으로, 개방형 질문은 자녀의 독립성을 키우는 데 도움을 줍니다. 자녀가 자신의 의견을 표현하고, 문제를 해결하는 경험을 쌓으면서 독립적으로 생각하고 행동하는 법을 배우게 됩니다. 이는 자녀가 성인이 되었을 때 독립적으로 생활할 수 있는 능력을 갖추는 데 중요한 역할을 합니다.

제 3 장

현재에 집중하기
자녀와의 시간을 소중히 여기기

부모와 자녀 간의 대화는 자녀의 안정과 능력 증진, 가족 행복에 중요하며, 현재에 집중하고 열린 질문은 이해를 높이고, 유대감은 가족의 행복과 자녀의 발달을 촉진합니다.

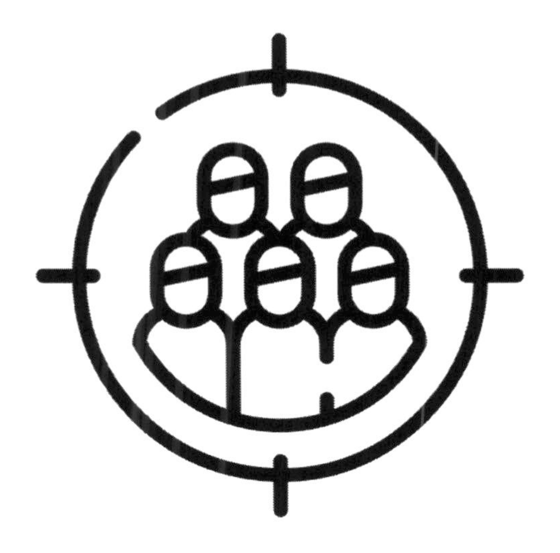

현재의 빛

현재에 집중하는 것은 자녀와의 관계를 강화하고, 자녀의 정서적 안정과 학습 능력, 사회적 능력, 그리고 가족의 전체적인 행복을 증진시키는 중요한 요소입니다.

현재에 집중하는 것은 자녀와의 관계를 강화하는 중요한 요소입니다. 현대 사회에서는 핸드폰이나 기타 기술 장치가 우리의 주의를 쉽게 산만하게 만듭니다. 자녀와 대화할 때 모든 주의를 자녀에게 집중하는 것이 중요합니다. 이는 자녀에게 진정한 관심을 기울이고 있음을 보여줍니다. 핸드폰을 멀리 두고, 자녀의 눈을 바라보며 대화에 집중하는 것이 좋은 방법입니다.

자녀와 대화할 때 중간에 끼어들지 않는 것도 중요합니다. 자녀가 자신의 감정과 생각을 자유롭게 표현할 수 있도록 끝까지 들어주는 것이 필요합니다. 부모가 중간에 끼어들면 자녀는 자신의 의견이 존중받지 못한다고 느낄 수 있습니다. 이는 자녀가 대화에서 소극적으로 변하게 만들 수 있습니다. 자녀가 말하는 동안 적극적으로 경청하고, 그들의 이야기에 집중하는 것이 중요합니다.

현재에 집중하기 위해서는 부모가 자녀와의 시간을 계획하는 것도 필요합니다. 일정한 시간 동안 자녀와 함께하는 시간을 가지면, 자녀는 자신이 부모에게 중요한 존재임을 느끼게 됩니다. 이 시간 동안 부모는 자녀에게 온전히 집중할 수 있으며, 이는 자녀와의 유대감을 강화하는 데 도움이 됩니다. 자녀와 함께하는 시간을 통해 부모는 자녀의 관심사와 고민을 더 잘 이해할 수 있습니다.

부모와 자녀 간의 대화는 일방적인 명령이나 지시보다는 상호 소통이 이루어져야 합니다. 부모가 자녀의 이야기를 경청하고, 자녀의 의견을 존중하는 태도를 보일 때 자녀는 자신이 존중받고 있다고 느낍니다. 이는 자녀가 부모에게 더 많은 신뢰를 갖게 하고, 어려운 상황에서도 부모에게 의지할 수 있게 합니다.

현재에 집중하는 것은 자녀의 정서적 안정에 큰 영향을 미칩니다. 자녀가 자신의 감정을 부모에게 털어놓고, 이를 부모가 이해하고 공감해줄 때 자녀는 정서적으로 안정감을 느낍니다. 이는 자녀가 스트레스 상황에서도 긍정적으로 대응할 수 있는 능력을 키우는 데 도움이 됩니다. 부모의 집중과 관심은 자녀의 정서적 발달에 중요한 역할을 합니다.

부모와 자녀 간의 상호 이해를 증진시키기 위해서는 대화 중에 열린 질문을 사용하는 것이 좋습니다. 예를 들어, "오늘 학교에서 가장 재미있었던 일이 뭐였어?"와 같은 질문은 자녀가 자신의 경험을 더 자세히 설명하도록 유도합니다. 이는 부모가 자녀의 입장을 더 잘 이해하게 하고, 상호 간의 이해를 깊게 만듭니다.

부모가 자녀와의 시간을 소중히 여기고, 현재에 집중하는 태도를 보일 때 자녀는 자신의 감정을 자유롭게 표현할 수 있게 됩니다. 이는 자녀가 자신의 감정을 더 잘 이해하고 관리하게 하며, 정서적으로 안정된 상태를 유지할 수 있도록 돕습니다. 또한, 부모의 공감과 지지는 자녀의 정서적 발달에 긍정적인 영향을 미칩니다.

현재에 집중하는 것은 자녀의 학습 능력을 향상시키는 데도 도움이 됩니다. 부모가 자녀와 학습에 대해 이야기하고, 자녀의 말을 경청할 때 자녀는 학습에 대한 긍정적인 태도를 가지게 됩니다. 이는 자녀가 학습에서 발생하는 어려움을 극복하고, 더 높은 학업 성취를 이루는 데 도움이 됩니다. 부모의 집중과 관심은 자녀의 학습 동기를 강화하는 중요한 요소입니다.

현재에 집중하는 것은 자녀의 사회적 능력을 키우는 데도 중요한 역할을 합니다. 부모가 자녀의 말을 경청하고, 자녀의 감정을 이해하며, 이를 존중할 때 자녀는 타인과의 관계에서도 긍정적인 소통 방식을 사용할 가능성이 높아집니다. 이는 자녀가 친구를 사귀고, 갈등을 해결하며, 팀으로 협력하는 능력을 키우는 데 도움을 줍니다.

마지막으로, 현재에 집중하는 것은 가족의 전체적인 행복을 증진시키는 데 중요한 역할을 합니다. 가족 구성원들이 서로에게 집중하고, 서로의 이야기를 경청하며, 이해하는 태도를 보일 때 가족의 유대감이 강화되고, 모든 구성원이 행복하고 만족스러운 삶을 살 수 있게 됩니다. 부모의 집중과 관심은 가족의 조화와 행복을 유지하는 데 중요한 역할을 합니다.

순간의 가치

자녀와 함께하는 시간은 자녀의 정서적 안정, 학습 능력, 사회적 능력, 자아 존중감, 감정 표현 능력, 문제 해결 능력, 책임감, 그리고 가족의 전체적인 행복을 증진시키는 중요한 요소입니다.

자녀와 함께하는 시간은 매우 소중합니다. 부모가 자녀와 함께 보내는 시간은 자녀에게 안정감을 주고, 부모와의 유대감을 강화하는 데 중요한 역할을 합니다. 자녀와 함께하는 시간을 우선시하는 것은 자녀가 자신이 소중한 존재임을 느끼게 합니다. 이는 자녀의 자아 존중감을 높이고, 정서적 안정을 도모하는 데 중요한 요소입니다.

부모와 자녀가 함께 보내는 시간은 자녀의 전반적인 발달에 큰 영향을 미칩니다. 유아기와 어린 시절, 부모는 자녀의 첫 번째 교사이자 보호자로서 중요한 역할을 합니다. 이 시기에 부모와 함께하는 시간은 자녀가 세상을 어떻게 인식하고, 다른 사람들과 어떻게 상호작용하는지를 결정하는 기초가 됩니다. 부모와의 긍정적인 경험은 자녀의 정서적 발달과 사회적 능력에 긍정적인 영향을 미칩니다.

자녀와 함께하는 시간은 자녀의 학습 능력을 향상시키는 데도 중요한 역할을 합니다. 부모가 자녀와 함께 학습 활동을 하거나, 자녀의 학습을 지지하는 시간을 가지면 자녀는 학습에 대한 긍정적인 태도를 가지게 됩니다. 이는 자녀가 학습에서 발생하는 어려움을 극복하고, 더 높은 학업 성취를 이루는 데 도움이 됩니다. 부모와의 긍정적인 학습 경험은 자녀의 학습 동기를 강화하는 중요한 요소입니다.

부모와 자녀가 함께하는 시간은 자녀의 사회적 능력을 키우는 데도 큰 역할을 합니다. 부모가 자녀와 함께 놀이를 하거나, 사회적 활동에 참여하면 자녀는 타인과의 상호작용 방법을 배우게 됩니다. 이는 자녀가 친구를 사귀고, 갈등을 해결하며, 협력하는 능력을 키우는 데 중요한 역할을 합니다. 부모와의 긍정적인 상호작용은 자녀의 사회적 능력 발달에 큰 도움이 됩니다.

자녀와 함께하는 시간은 자녀의 정서적 안정에 큰 영향을 미칩니다. 부모가 자녀와 함께 시간을 보내면서 자녀의 감정을 이해하고 공감해줄 때 자녀는 정서적으로 안정감을 느낍니다. 이는 자녀가 스트레스 상황에서도 긍정적으로 대응할 수 있는 능력을 키우는 데 도움이 됩니다. 부모와의 정서적 유대는 자녀의 정서적 발달에 중요한 역할을 합니다.

부모와 자녀가 함께하는 시간은 자녀의 자아 존중감을 높이는 데도 중요한 역할을 합니다. 부모가 자녀와 함께 시간을 보내며 자녀의 의견을 존중하고, 자녀의 감정을 이해하는 태도를 보일 때 자녀는 자신이 존중받고 있다고 느끼게 됩니다. 이는 자녀의 자아 존중감을 높이고, 자신감 있게 행동하는 데 중요한 요소입니다.

자녀와 함께하는 시간은 자녀의 감정 표현 능력을 향상시키는 데도 큰 도움이 됩니다. 부모가 자녀와 함께 시간을 보내면서 자녀의 감정을 이해하고, 자녀가 자신의 감정을 자유롭게 표현할 수 있도록 격려할 때 자녀는 자신의 감정을 더 잘 이해하고 관리하게 됩니다. 이는 자녀가 정서적으로 안정된 상태를 유지하고, 감정을 건강하게 표현할 수 있도록 돕습니다.

부모와 자녀가 함께하는 시간은 자녀의 문제 해결 능력을 키우는 데도 중요한 역할을 합니다. 부모가 자녀와 함께 문제를 해결하는 경험을 쌓으면 자녀는 문제 해결 과정을 배우게 됩니다. 이는 자녀가 자신감을 가지고 독립적으로 문제를 해결할 수 있는 능력을 키우는 데 중요한 역할을 합니다. 부모와의 문제 해결 경험은 자녀의 독립성을 키우는 데 큰 도움이 됩니다.

부모와 자녀가 함께하는 시간은 자녀의 책임감을 형성하는 데도 큰 도움이 됩니다. 부모가 자녀와 함께 시간을 보내면서 자녀에게 책임감을 가르치고, 자녀가 책임을 질 때 지지해주는 과정을 통해 자녀는 자신의 행동에 대해 책임을 지는 법을 배우게 됩니다. 이는 자녀가 성인이 되었을 때 책임감 있는 행동을 할 수 있도록 돕습니다.

마지막으로, 부모와 자녀가 함께하는 시간은 가족의 전체적인 행복을 증진시키는 데 중요한 역할을 합니다. 가족 구성원들이 함께 시간을 보내며 서로를 이해하고, 존중하며, 지원하는 관계는 가족의 유대감을 강화하고, 모든 구성원이 행복하고 만족스러운 삶을 살 수 있게 합니다. 부모와 자녀가 함께하는 시간은 가족의 조화와 행복을 유지하는 데 중요한 역할을 합니다.

유대의 강

부모와 자녀 간의 유대감은 자녀의 정서적 안정, 자아 존중감, 사회적 능력, 학습 능력, 문제 해결 능력, 책임감, 감정 표현 능력, 독립성, 그리고 가족의 전체적인 행복을 증진시키는 중요한 요소입니다.

부모와 자녀 간의 유대감은 건강한 관계를 유지하는 데 필수적인 요소입니다. 부모가 자녀와 함께하는 시간을 가지면서 자녀의 감정을 이해하고, 자녀에게 관심과 애정을 보여줄 때 유대감이 강화됩니다. 이는 자녀가 부모에게 신뢰를 갖게 하고, 어려운 상황에서도 부모에게 의지할 수 있게 합니다.

부모와 자녀 간의 유대감은 자녀의 정서적 안정에 큰 영향을 미칩니다. 부모와의 강한 유대감을 가진 자녀는 정서적으로 안정된 상태를 유지하며, 스트레스 상황에서도 긍정적으로 대응할 수 있는 능력을 키우게 됩니다. 이는 자녀의 전반적인 정서적 발달에 큰 도움이 됩니다.

유대감은 자녀의 자아 존중감을 높이는 데 중요한 역할을 합니다. 부모가 자녀와 함께 시간을 보내면서 자녀의 의견을 존중하고, 자녀의 감정을 이해하는 태도를 보일 때 자녀는 자신이 존중받고 있다고 느끼게 됩니다. 이는 자녀의 자아 존중감을 높이고, 자신감 있게 행동하는 데 중요한 요소입니다.

부모와 자녀 간의 강한 유대감은 자녀의 사회적 능력을 키우는 데도 큰 역할을 합니다. 부모가 자녀와 함께 시간을 보내면서 자녀에게 긍정적인 소통 방식을 모델링하면, 자녀는 이를 통해 타인과의 관계에서도 긍정적인 소통 방식을 사용할 가능성이 높아집니다. 이는 자녀가 친구를 사귀고, 갈등을 해결하며, 팀으로 협력하는 능력을 키우는 데 도움을 줍니다.

유대감은 자녀의 학습 능력을 향상시키는 데도 중요한 역할을 합니다. 부모가 자녀와 함께 학습 활동을 하거나, 자녀의 학습을 지지하는 시간을 가지면서 자녀와의 유대감을 강화하면, 자녀는 학습에 대한 긍정적인 태도를 가지게 됩니다. 이는 자녀가 학습에서 발생하는 어려움을 극복하고, 더 높은 학업 성취를 이루는 데 도움이 됩니다.

부모와 자녀 간의 유대감은 자녀의 문제 해결 능력을 키우는 데도 큰 도움이 됩니다. 부모가 자녀와 함께 문제를 해결하는 경험을 쌓으면 자녀는 문제 해결 과정을 배우고, 자신감을 갖게 됩니다. 이는 자녀가 성인이 되었을 때 독립적으로 문제를 해결할 수 있는 능력을 갖추는 데 중요한 역할을 합니다.

유대감은 자녀의 책임감을 형성하는 데도 큰 도움이 됩니다. 부모가 자녀와 함께 시간을 보내면서 자녀에게 책임감을 가르치고, 자녀가 책임을 질 때 지지해주는 과정을 통해 자녀는 자신의 행동에 대해 책임을 지는 법을 배우게 됩니다. 이는 자녀가 성인이 되었을 때 책임감 있는 행동을 할 수 있도록 돕습니다.

부모와 자녀 간의 강한 유대감은 자녀의 감정 표현 능력을 향상시키는 데도 큰 역할을 합니다. 부모가 자녀와 함께 시간을 보내면서 자녀의 감정을 이해하고, 자녀가 자신의 감정을 자유롭게 표현할 수 있도록 격려할 때 자녀는 자신의 감정을 더 잘 이해하고 관리하게 됩니다. 이는 자녀가 정서적으로 안정된 상태를 유지하고, 감정을 건강하게 표현할 수 있도록 돕습니다.

부모와 자녀 간의 유대감은 자녀의 독립성을 키우는 데도 중요한 역할을 합니다. 자녀가 자신의 의견을 표현하고, 문제를 해결하는 경험을 쌓으면서 독립적으로 생각하고 행동하는 법을 배우게 됩니다. 이는 자녀가 성인이 되었을 때 독립적으로 생활할 수 있는 능력을 갖추는 데 중요한 역할을 합니다.

마지막으로, 부모와 자녀 간의 유대감은 가족의 전체적인 행복을 증진시키는 데 중요한 역할을 합니다. 가족 구성원들이 함께 시간을 보내며 서로를 이해하고, 존중하며, 지원하는 관계는 가족의 유대감을 강화하고, 모든 구성원이 행복하고 만족스러운 삶을 살 수 있게 합니다. 부모와 자녀 간의 강한 유대감은 가족의 조화와 행복을 유지하는 데 중요한 역할을 합니다.

제 4 장

단순한 충고 피하기 아이의 의견 존중하기

부모의 과도한 충고보다는 자녀의 의견을 존중하고 경청하는 태도가 자녀의 여러 가지 능력과 가족 내 소속감을 향상시키며, 가족의 전체적인 행복을 증진시키는 중요한 역할을 합니다.

충고의 그림자

과도한 충고는 자녀의 자아 존중감, 자율성, 스트레스, 창의력, 의사소통 능력, 학습 동기, 정서적 발달, 그리고 독립성에 부정적인 영향을 미칠 수 있습니다.

부모는 자녀에게 좋은 조언을 해주고 싶어하는 경향이 있습니다. 그러나 과도한 충고는 자녀에게 부정적인 영향을 미칠 수 있습니다. 자녀는 부모의 과도한 충고로 인해 자신이 존중받지 못한다고 느낄 수 있으며, 이는 자녀의 자아 존중감을 낮추는 결과를 초래할 수 있습니다. 자녀는 부모의 충고가 반복될수록 자신의 의견을 표현하는 데 소극적으로 변하게 됩니다.

과도한 충고는 자녀와 부모 간의 관계를 악화시킬 수 있습니다. 부모가 자녀에게 과도한 충고를 하면 자녀는 부모의 말을 듣는 것을 부담스러워하게 되고, 부모와의 대화에서 멀어질 수 있습니다. 이는 부모와 자녀 간의 신뢰를 약화시키고, 소통의 단절을 초래할 수 있습니다. 자녀는 부모의 충고를 피하기 위해 자신의 생각과 감정을 숨기게 될 수도 있습니다.

과도한 충고는 자녀의 자율성을 저해할 수 있습니다. 자녀가 자신의 문제를 스스로 해결할 기회를 갖지 못하면, 자율적으로 생각하고 행동하는 능력을 기를 수 없습니다. 부모의 과도한 충고는 자녀가 자신의 판단을 믿지 못하게 만들고, 독립적인 사고를 방해합니다. 이는 자녀가 성인이 되었을 때 독립적으로 생활하는 데 어려움을 겪을 수 있게 만듭니다.

과도한 충고는 자녀의 스트레스를 증가시킬 수 있습니다. 부모의 반복적인 충고는 자녀에게 부담으로 작용하며, 자녀는 부모의 기대에 부응하려는 압박감을 느끼게 됩니다. 이는 자녀의 정신적 건강에 부정적인 영향을 미치고, 자녀가 스트레스 상황에서도 긍정적으로 대응하는 능력을 약화시킬 수 있습니다. 부모의 과도한 충고는 자녀에게 정서적 불안을 초래할 수 있습니다.

과도한 충고는 자녀의 창의력을 억제할 수 있습니다. 부모가 자녀에게 계속해서 지시하고 충고하면, 자녀는 자신의 아이디어를 자유롭게 표현하지 못하게 됩니다. 이는 자녀의 창의적 사고를 저해하고, 문제 해결 능력을 제한할 수 있습니다. 부모의 과도한 충고는 자녀가 자신의 독창적인 아이디어를 발전시키는 데 방해가 될 수 있습니다.

과도한 충고는 자녀의 자아 존중감을 낮출 수 있습니다. 부모의 반복적인 충고는 자녀에게 자신이 충분하지 않다는 느낌을 줄 수 있으며, 이는 자녀의 자아 존중감을 약화시킬 수 있습니다. 자녀는 자신의 능력을 믿지 못하게 되고, 자신감이 감소할 수 있습니다. 부모의 과도한 충고는 자녀가 자신의 가치를 인식하는 데 부정적인 영향을 미칠 수 있습니다.

과도한 충고는 자녀의 의사소통 능력을 저해할 수 있습니다. 자녀가 부모의 충고를 듣는 것을 부담스러워하게 되면, 자녀는 자신의 의견을 표현하는 데 어려움을 겪을 수 있습니다. 이는 자녀가 다른 사람과의 의사소통에서도 소극적으로 변하게 만들 수 있습니다. 부모의 과도한 충고는 자녀의 사회적 능력 발달에 부정적인 영향을 미칠 수 있습니다.

과도한 충고는 자녀의 학습 동기를 저하시킬 수 있습니다. 부모의 충고가 자녀에게 압박으로 작용하면, 자녀는 학습에 대한 흥미를 잃을 수 있습니다. 이는 자녀의 학업 성취도를 낮출 수 있으며, 학습에서 발생하는 어려움을 극복하는 능력을 약화시킬 수 있습니다. 부모의 과도한 충고는 자녀의 학습 동기를 저해하는 요소가 될 수 있습니다.

과도한 충고는 자녀의 정서적 발달을 저해할 수 있습니다. 부모의 반복적인 충고는 자녀에게 정서적 부담을 줄 수 있으며, 이는 자녀의 정서적 안정에 부정적인 영향을 미칠 수 있습니다. 자녀는 자신의 감정을 자유롭게 표현하는 데 어려움을 겪을 수 있으며, 이는 정서적 발달을 저해할 수 있습니다. 부모의 과도한 충고는 자녀의 정서적 건강에 부정적인 영향을 미칠 수 있습니다.

마지막으로, 과도한 충고는 자녀의 독립성을 저해할 수 있습니다. 부모가 자녀에게 계속해서 충고를 하면, 자녀는 자신의 문제를 스스로 해결할 기회를 갖지 못하게 됩니다. 이는 자녀가 독립적으로 생활하는 데 필요한 능력을 기르는 데 방해가 될 수 있습니다. 부모의 과도한 충고는 자녀의 독립성을 저해하는 요소가 될 수 있습니다.

존중의 햇살

자녀의 의견을 존중하는 것은 자녀의 자아 존중감, 자율성, 창의력, 협력 능력, 학습 능력, 그리고 가족의 전체적인 행복을 증진시키는 중요한 요소입니다.

부모는 자녀의 의견을 존중하고, 자녀의 생각을 경청하는 태도를 가져야 합니다. 이는 자녀가 자신의 의견을 자유롭게 표현하고, 자신의 감정을 솔직하게 털어놓을 수 있는 환경을 조성하는 데 중요합니다. 부모가 자녀의 의견을 존중할 때 자녀는 자신이 중요한 존재임을 느끼게 됩니다.

자녀의 의견을 존중하는 첫걸음은 자녀의 이야기를 끝까지 들어주는 것입니다. 부모가 자녀의 이야기를 중간에 끼어들지 않고 경청하면, 자녀는 자신의 의견이 존중받고 있다고 느끼게 됩니다. 이는 자녀가 부모에게 신뢰를 갖게 하고, 부모와의 대화에서 자신감을 가질 수 있도록 돕습니다. 경청은 자녀와 부모 간의 신뢰를 강화하는 중요한 요소입니다.

자녀의 의견을 존중하는 또 다른 방법은 자녀의 감정을 인정하고 공감하는 것입니다. 자녀가 자신의 감정을 표현할 때 부모가 이를 이해하고 공감해주는 태도를 보이면, 자녀는 자신이 이해받고 있다고 느끼게 됩니다. 이는 자녀의 정서적 안정에 큰 도움이 되며, 자녀가 자신의 감정을 건강하게 표현할 수 있도록 돕습니다.

부모는 자녀의 의견을 존중하면서 긍정적인 피드백을 제공해야 합니다. 자녀가 자신의 의견을 표현할 때 부모가 이를 존중하고 긍정적으로 평가하면, 자녀는 자신의 의견을 더 많이 표현하게 됩니다. 이는 자녀의 자아 존중감을 높이고, 자신감을 키우는 데 중요한 역할을 합니다. 긍정적인 피드백은 자녀의 자아 존중감을 강화하는 중요한 요소입니다.

자녀의 의견을 존중하는 것은 자녀의 자율성을 존중하는 것과도 연결됩니다. 부모가 자녀의 의견을 존중하고, 자녀가 자신의 문제를 스스로 해결할 수 있도록 격려하면, 자녀는 자율성을 키울 수 있습니다. 이는 자녀가 독립적으로 생각하고 행동하는 능력을 기르는 데 중요한 역할을 합니다. 자율성은 자녀의 독립성을 키우는 데 중요한 요소입니다.

부모는 자녀의 의견을 존중하면서 개방형 질문을 사용할 수 있습니다. 개방형 질문은 자녀가 자신의 생각을 자유롭게 표현할 수 있도록 돕는 중요한 도구입니다. 부모가 자녀에게 개방형 질문을 통해 자녀의 의견을 존중하면, 자녀는 자신의 의견을 더 많이 표현하게 됩니다. 이는 자녀와 부모 간의 상호 이해를 증진시키는 데 중요한 역할을 합니다.

자녀의 의견을 존중하는 것은 자녀의 창의력을 키우는 데도 도움이 됩니다. 부모가 자녀의 의견을 존중하고, 자녀의 창의적인 아이디어를 지지하면, 자녀는 자신의 창의력을 발전시킬 수 있습니다. 이는 자녀가 다양한 관점에서 문제를 바라보고, 창의적으로 해결하는 능력을 키우는 데 중요한 역할을 합니다. 창의력은 자녀의 문제 해결 능력을 향상시키는 중요한 요소입니다.

부모는 자녀의 의견을 존중하면서 자녀와의 협력을 촉진할 수 있습니다. 자녀의 의견을 존중하고, 자녀와 함께 문제를 해결하는 경험을 쌓으면, 자녀는 협력의 중요성을 배우게 됩니다. 이는 자녀가 팀으로 협력하는 능력을 키우는 데 도움이 됩니다. 협력은 자녀의 사회적 능력을 향상시키는 중요한 요소입니다.

자녀의 의견을 존중하는 것은 자녀의 학습 능력을 향상시키는 데도 중요한 역할을 합니다. 부모가 자녀의 학습 과정을 존중하고, 자녀의 의견을 경청하면, 자녀는 학습에 대한 긍정적인 태도를 가지게 됩니다. 이는 자녀가 학습에서 발생하는 어려움을 극복하고, 더 높은 학업 성취를 이루는 데 도움이 됩니다. 학습 능력은 자녀의 전반적인 발달에 중요한 역할을 합니다.

마지막으로, 자녀의 의견을 존중하는 것은 가족의 전체적인 행복을 증진시키는 데 중요한 역할을 합니다. 가족 구성원들이 서로의 의견을 존중하고, 서로의 이야기를 경청하는 태도를 가지면, 가족의 유대감이 강화되고, 모든 구성원이 행복하고 만족스러운 삶을 살 수 있게 됩니다. 자녀의 의견을 존중하는 태도는 가족의 조화와 행복을 유지하는 데 중요한 역할을 합니다.

자신감의 날개

자녀의 의견을 존중하고 경청하는 태도는 자녀의 자신감, 자아 존중감, 정서적 안정, 신뢰, 의사소통 능력, 문제 해결 능력, 창의력, 협력 능력, 학습 동기, 그리고 가족 내 소속감을 향상시키는 중요한 요소입니다.

자녀의 의견을 존중하고 경청하는 태도는 자녀의 자신감을 높이는 데 중요한 역할을 합니다. 자녀가 자신의 의견을 자유롭게 표현하고, 부모로부터 긍정적인 피드백을 받을 때, 자녀는 자신의 능력을 믿고 자신감 있게 행동할 수 있게 됩니다. 이는 자녀의 전반적인 발달에 긍정적인 영향을 미칩니다.

부모가 자녀의 의견을 존중할 때 자녀는 자신의 가치를 인식하게 됩니다. 자녀는 자신이 중요한 존재임을 느끼게 되며, 이는 자아 존중감을 높이는 데 큰 도움이 됩니다. 자녀가 자신의 가치를 인식하게 되면, 어려운 상황에서도 긍정적으로 대응할 수 있는 능력을 키울 수 있습니다. 자아 존중감은 자녀의 전반적인 정신적 건강에 중요한 역할을 합니다.

자녀의 의견을 존중하는 것은 자녀의 정서적 안정에도 긍정적인 영향을 미칩니다. 자녀가 자신의 감정을 자유롭게 표현하고, 부모로부터 이해와 공감을 받을 때, 자녀는 정서적으로 안정된 상태를 유지할 수 있게 됩니다. 이는 자녀가 스트레스 상황에서도 긍정적으로 대응할 수 있는 능력을 키우는 데 도움이 됩니다. 정서적 안정은 자녀의 전반적인 발달에 중요한 요소입니다.

부모가 자녀의 의견을 존중할 때 자녀는 부모와의 관계에서 신뢰를 쌓을 수 있게 됩니다. 자녀는 자신의 의견이 존중받고 있다고 느낄 때 부모에게 더 많은 신뢰를 가지게 됩니다. 이는 자녀가 어려운 상황에서도 부모에게 의지하고, 도움을 요청할 수 있는 기반이 됩니다. 신뢰는 건강한 부모 자식 관계를 유지하는 데 중요한 요소입니다.

자녀의 의견을 존중하는 것은 자녀의 의사소통 능력을 향상시키는 데도 큰 도움이 됩니다. 자녀가 자신의 의견을 자유롭게 표현하고, 부모로부터 긍정적인 피드백을 받을 때, 자녀는 더 효과적으로 의사소통하는 법을 배우게 됩니다. 이는 자녀가 친구나 교사와의 관계에서도 자신의 의견을 잘 전달할 수 있게 하는 중요한 기술입니다. 의사소통 능력은 자녀의 사회적 능력 발달에 중요한 역할을 합니다.

부모가 자녀의 의견을 존중할 때 자녀는 자신의 문제를 스스로 해결하는 능력을 키울 수 있게 됩니다. 자녀는 자신의 의견을 표현하고, 문제를 해결하는 과정에서 자신감을 얻게 됩니다. 이는 자녀가 성인이 되었을 때 독립적으로 문제를 해결할 수 있는 능력을 갖추는 데 중요한 역할을 합니다. 문제 해결 능력은 자녀의 독립성을 키우는 데 중요한 요소입니다.

자녀의 의견을 존중하는 것은 자녀의 창의력을 자극하는 데도 도움이 됩니다. 자녀가 자신의 창의적인 아이디어를 자유롭게 표현하고, 부모로부터 지지를 받을 때, 자녀는 자신의 창의력을 발전시킬 수 있습니다. 이는 자녀가 다양한 관점에서 문제를 바라보고, 창의적으로 해결하는 능력을 키우는 데 중요한 역할을 합니다. 창의력은 자녀의 전반적인 발달에 중요한 요소입니다.

부모가 자녀의 의견을 존중할 때 자녀는 협력의 중요성을 배우게 됩니다. 자녀는 부모와 함께 문제를 해결하는 경험을 통해 협력의 가치를 인식하게 됩니다. 이는 자녀가 친구나 동료와 협력하여 문제를 해결하는 능력을 키우는 데 큰 도움이 됩니다. 협력 능력은 자녀의 사회적 능력을 향상시키는 중요한 요소입니다.

자녀의 의견을 존중하는 것은 자녀의 학습 동기를 자극하는 데도 큰 도움이 됩니다. 자녀가 자신의 의견을 자유롭게 표현하고, 부모로부터 긍정적인 피드백을 받을 때, 자녀는 학습에 대한 긍정적인 태도를 가지게 됩니다. 이는 자녀가 학습에서 발생하는 어려움을 극복하고, 더 높은 학업 성취를 이루는 데 도움이 됩니다. 학습 동기는 자녀의 전반적인 학습 능력 향상에 중요한 역할을 합니다.

마지막으로, 부모가 자녀의 의견을 존중할 때 자녀는 가족의 일원으로서의 소속감을 느끼게 됩니다. 자녀는 자신의 의견이 가족 내에서 존중받고 있다고 느낄 때 가족의 일원으로서의 소속감을 가지게 됩니다. 이는 자녀가 가족의 유대감을 강화하고, 가족의 조화와 행복을 유지하는 데 중요한 역할을 합니다.

제 5 장

공감하기
자녀의 감정을 이해하고 인정하기

부모의 공감은 자녀의 정서적 안정, 자아 존중감, 사회적 능력 등을 강화하며, 가족의 행복을 증진시키는 요소입니다. 이것은 자녀가 자신의 가치를 인식하고, 긍정적으로 대응하는 능력을 키우는데 중요합니다.

공감의 다리

공감은 자녀의 정서 발달, 자아 존중감, 사회적 능력, 문제 해결 능력, 창의력, 학습 능력, 정서적 안정성, 부모와의 신뢰, 그리고 가족의 전체적인 행복을 증진시키는 중요한 요소입니다.

공감은 자녀의 정서 발달에 중요한 영향을 미칩니다. 공감은 자녀가 자신의 감정을 이해하고 표현하는 데 큰 도움을 줍니다. 부모가 자녀의 감정을 공감하면, 자녀는 자신의 감정을 더 잘 이해하고, 이를 표현하는 법을 배우게 됩니다. 이는 자녀의 정서적 안정과 전반적인 정서 발달에 긍정적인 영향을 미칩니다.

부모가 자녀의 감정을 공감할 때, 자녀는 자신이 이해받고 있다고 느끼게 됩니다. 이는 자녀가 자신의 감정을 솔직하게 표현할 수 있는 환경을 조성하는 데 중요합니다. 자녀는 부모에게 자신의 감정을 털어놓을 때, 부모가 이를 이해하고 공감해주면 정서적으로 안정감을 느끼게 됩니다. 이는 자녀가 스트레스 상황에서도 긍정적으로 대응할 수 있는 능력을 키우는 데 도움이 됩니다.

공감은 자녀의 자아 존중감을 높이는 데 중요한 역할을 합니다. 자녀가 자신의 감정을 표현하고, 부모로부터 이해와 공감을 받을 때 자아 존중감이 높아집니다. 이는 자녀가 자신의 가치를 인식하고, 자신감 있게 행동하는 데 중요한 요소입니다. 공감은 자녀가 자신을 가치 있게 여기게 만드는 중요한 도구입니다.

부모의 공감은 자녀의 사회적 능력 발달에도 긍정적인 영향을 미칩니다. 자녀가 부모로부터 공감을 받을 때, 자녀는 타인의 감정을 이해하고 공감하는 법을 배우게 됩니다. 이는 자녀가 친구와의 관계에서 긍정적인 소통을 하고, 갈등을 해결하며, 협력하는 능력을 키우는 데 큰 도움이 됩니다. 공감은 자녀의 사회적 능력 발달에 중요한 역할을 합니다.

공감은 자녀의 문제 해결 능력을 키우는 데도 도움이 됩니다. 부모가 자녀의 감정을 이해하고 공감해줄 때, 자녀는 자신의 문제를 더 명확하게 이해하고 해결할 수 있는 능력을 키우게 됩니다. 이는 자녀가 성인이 되었을 때 독립적으로 문제를 해결할 수 있는 능력을 갖추는 데 중요한 역할을 합니다. 공감은 자녀의 문제 해결 능력을 향상시키는 중요한 도구입니다.

공감은 자녀의 창의력을 자극하는 데도 도움이 됩니다. 부모가 자녀의 감정을 공감하고, 자녀의 창의적인 아이디어를 지지하면, 자녀는 자신의 창의력을 발전시킬 수 있습니다. 이는 자녀가 다양한 관점에서 문제를 바라보고, 창의적으로 해결하는 능력을 키우는 데 중요한 역할을 합니다. 공감은 자녀의 창의력을 자극하는 중요한 요소입니다.

부모의 공감은 자녀의 학습 능력을 향상시키는 데도 긍정적인 영향을 미칩니다. 부모가 자녀의 학습 과정을 공감하고, 자녀의 감정을 이해하며 지지할 때, 자녀는 학습에 대한 긍정적인 태도를 가지게 됩니다. 이는 자녀가 학습에서 발생하는 어려움을 극복하고, 더 높은 학업 성취를 이루는 데 도움이 됩니다. 공감은 자녀의 학습 능력을 향상시키는 중요한 도구입니다.

공감은 자녀의 정서적 안정성을 높이는 데 중요한 역할을 합니다. 부모가 자녀의 감정을 이해하고 공감해줄 때, 자녀는 정서적으로 안정된 상태를 유지할 수 있게 됩니다. 이는 자녀가 스트레스 상황에서도 긍정적으로 대응할 수 있는 능력을 키우는 데 도움이 됩니다. 공감은 자녀의 정서적 안정성을 높이는 중요한 요소입니다.

공감은 부모와 자녀 간의 신뢰를 강화하는 데도 큰 도움이 됩니다. 부모가 자녀의 감정을 공감할 때, 자녀는 부모에게 더 많은 신뢰를 가지게 됩니다. 이는 자녀가 어려운 상황에서도 부모에게 의지하고, 도움을 요청할 수 있는 기반이 됩니다. 공감은 부모와 자녀 간의 신뢰를 강화하는 중요한 도구입니다.

마지막으로, 공감은 가족의 전체적인 행복을 증진시키는 데 중요한 역할을 합니다. 가족 구성원들이 서로의 감정을 공감하고 이해하는 태도를 가지면, 가족의 유대감이 강화되고, 모든 구성원이 행복하고 만족스러운 삶을 살 수 있게 됩니다. 공감은 가족의 조화와 행복을 유지하는 데 중요한 역할을 합니다.

이해의 물결

자녀의 감정을 이해하고 인정하는 것은 자녀의 정서적 발달, 자아 존중감, 사회적 능력, 자율성, 협력 능력, 그리고 가족의 전체적인 행복을 증진시키는 중요한 요소입니다.

자녀의 감정을 이해하고 인정하는 것은 부모의 중요한 역할 중 하나입니다. 자녀의 감정을 이해하기 위해서는 자녀의 이야기를 경청하고, 자녀의 감정을 표현하도록 격려하는 것이 필요합니다.

부모는 자녀가 자신의 감정을 자유롭게 표현할 수 있도록 안전하고 지지적인 환경을 조성해야 합니다.

자녀의 감정을 이해하기 위해서는 부모가 자녀의 입장에서 상황을 바라보는 것이 중요합니다. 자녀의 감정을 이해하고 공감하기 위해서는 자녀의 시각에서 상황을 이해하려는 노력이 필요합니다. 이는 자녀가 자신이 이해받고 있다고 느끼게 하고, 부모와의 정서적 유대감을 강화하는 데 도움이 됩니다.

부모는 자녀의 감정을 인정하는 표현을 사용해야 합니다. 자녀가 자신의 감정을 표현할 때, 부모는 "네가 그렇게 느꼈다면 정말 힘들었겠구나", "그 상황에서 화가 나는 것이 당연해"와 같은 표현을 사용하여 자녀의 감정을 인정해줄 수 있습니다. 이는 자녀가 자신의 감정을 존중받고 있다고 느끼게 합니다.

자녀의 감정을 인정하는 것은 자녀의 정서적 발달에 큰 도움이 됩니다. 자녀가 자신의 감정을 표현하고, 부모로부터 이해와 공감을 받을 때, 자녀는 자신의 감정을 더 잘 이해하고 관리하게 됩니다. 이는 자녀가 정서적으로 안정된 상태를 유지하고, 감정을 건강하게 표현할 수 있도록 돕습니다.

부모는 자녀의 감정을 이해하고 인정하면서 긍정적인 피드백을 제공해야 합니다. 자녀가 자신의 감정을 표현할 때, 부모가 이를 존중하고 긍정적으로 평가하면, 자녀는 자신의 감정을 더 자유롭게 표현하게 됩니다. 이는 자녀의 자아 존중감을 높이고, 정서적 발달에 긍정적인 영향을 미칩니다.

자녀의 감정을 이해하고 인정하는 것은 자녀의 자율성을 존중하는 것과도 연결됩니다. 부모가 자녀의 감정을 이해하고 인정할 때, 자녀는 자신의 감정을 스스로 관리할 수 있는 능력을 키울 수 있습니다. 이는 자녀가 독립적으로 생각하고 행동하는 능력을 기르는 데 중요한 역할을 합니다.

부모는 자녀의 감정을 이해하고 인정하면서 개방형 질문을 사용할 수 있습니다. 개방형 질문은 자녀가 자신의 감정을 더 깊이 탐구하고 표현할 수 있도록 돕는 중요한 도구입니다. 부모가 자녀에게 "오늘 학교에서 어떤 일이 가장 기뻤어?", "그 상황에서 어떻게 느꼈어?"와 같은 개방형 질문을 통해 자녀의 감정을 이해하면, 자녀는 자신의 감정을 더 잘 이해하고 표현하게 됩니다.

자녀의 감정을 이해하고 인정하는 것은 자녀의 사회적 능력을 향상시키는 데도 도움이 됩니다. 부모가 자녀의 감정을 이해하고 공감할 때, 자녀는 타인의 감정을 이해하고 공감하는 법을 배우게 됩니다. 이는 자녀가 친구와의 관계에서 긍정적인 소통을 하고, 갈등을 해결하며, 협력하는 능력을 키우는 데 큰 도움이 됩니다.

부모는 자녀의 감정을 이해하고 인정하면서 자녀와의 협력을 촉진할 수 있습니다. 자녀의 감정을 이해하고 공감하는 것은 자녀와의 협력을 강화하는 데 중요한 역할을 합니다. 부모가 자녀의 감정을 이해하고 인정할 때, 자녀는 부모와 함께 문제를 해결하는 경험을 쌓게 됩니다. 이는 자녀가 팀으로 협력하는 능력을 키우는 데 큰 도움이 됩니다.

마지막으로, 자녀의 감정을 이해하고 인정하는 것은 가족의 전체적인 행복을 증진시키는 데 중요한 역할을 합니다. 가족 구성원들이 서로의 감정을 이해하고 공감하는 태도를 가지면, 가족의 유대감이 강화되고, 모든 구성원이 행복하고 만족스러운 삶을 살 수 있게 됩니다. 자녀의 감정을 이해하고 인정하는 것은 가족의 조화와 행복을 유지하는 데 중요한 역할을 합니다.

안정의 항구

공감은 자녀의 정서적 안정, 자아 존중감, 사회적 능력, 문제 해결 능력, 창의력, 학습 능력, 정서적 안정성, 부모와의 신뢰, 그리고 가족의 전체적인 행복을 증진시키는 중요한 요소입니다.

공감은 자녀의 정서적 안정을 도모하는 데 중요한 역할을 합니다. 부모가 자녀의 감정을 이해하고 공감할 때, 자녀는 정서적으로 안정된 상태를 유지할 수 있게 됩니다. 이는 자녀가 스트레스 상황에서도 긍정적으로 대응할 수 있는 능력을 키우는 데 도움이 됩니다. 공감은 자녀의 정서적 안정성을 높이는 중요한 요소입니다.

부모의 공감은 자녀와의 관계를 강화하는 데 큰 도움이 됩니다. 자녀가 자신의 감정을 표현할 때, 부모가 이를 이해하고 공감해줄 때 자녀는 부모에게 더 많은 신뢰를 가지게 됩니다. 이는 자녀가 어려운 상황에서도 부모에게 의지하고, 도움을 요청할 수 있는 기반이 됩니다. 공감은 부모와 자녀 간의 신뢰를 강화하는 중요한 도구입니다.

공감은 자녀의 자아 존중감을 높이는 데 중요한 역할을 합니다. 자녀가 자신의 감정을 표현하고, 부모로부터 이해와 공감을 받을 때 자아 존중감이 높아집니다. 이는 자녀가 자신의 가치를 인식하고, 자신감 있게 행동하는 데 중요한 요소입니다. 공감은 자녀가 자신을 가치 있게 여기게 만드는 중요한 도구입니다.

공감은 자녀의 사회적 능력 발달에도 긍정적인 영향을 미칩니다. 자녀가 부모로부터 공감을 받을 때, 자녀는 타인의 감정을 이해하고 공감하는 법을 배우게 됩니다. 이는 자녀가 친구와의 관계에서 긍정적인 소통을 하고, 갈등을 해결하며, 협력하는 능력을 키우는 데 큰 도움이 됩니다. 공감은 자녀의 사회적 능력 발달에 중요한 역할을 합니다.

공감은 자녀의 문제 해결 능력을 키우는 데도 도움이 됩니다. 부모가 자녀의 감정을 이해하고 공감해줄 때, 자녀는 자신의 문제를 더 명확하게 이해하고 해결할 수 있는 능력을 키우게 됩니다. 이는 자녀가 성인이 되었을 때 독립적으로 문제를 해결할 수 있는 능력을 갖추는 데 중요한 역할을 합니다. 공감은 자녀의 문제 해결 능력을 향상시키는 중요한 도구입니다.

공감은 자녀의 창의력을 자극하는 데도 도움이 됩니다. 부모가 자녀의 감정을 공감하고, 자녀의 창의적인 아이디어를 지지하면, 자녀는 자신의 창의력을 발전시킬 수 있습니다. 이는 자녀가 다양한 관점에서 문제를 바라보고, 창의적으로 해결하는 능력을 키우는 데 중요한 역할을 합니다. 공감은 자녀의 창의력을 자극하는 중요한 요소입니다.

공감은 자녀의 학습 능력을 향상시키는 데도 긍정적인 영향을 미칩니다. 부모가 자녀의 학습 과정을 공감하고, 자녀의 감정을 이해하며 지지할 때, 자녀는 학습에 대한 긍정적인 태도를 가지게 됩니다. 이는 자녀가 학습에서 발생하는 어려움을 극복하고, 더 높은 학업 성취를 이루는 데 도움이 됩니다. 공감은 자녀의 학습 능력을 향상시키는 중요한 도구입니다.

공감은 자녀의 정서적 안정성을 높이는 데 중요한 역할을 합니다. 부모가 자녀의 감정을 이해하고 공감해줄 때, 자녀는 정서적으로 안정된 상태를 유지할 수 있게 됩니다. 이는 자녀가 스트레스 상황에서도 긍정적으로 대응할 수 있는 능력을 키우는 데 도움이 됩니다. 공감은 자녀의 정서적 안정성을 높이는 중요한 요소입니다.

공감은 부모와 자녀 간의 신뢰를 강화하는 데도 큰 도움이 됩니다. 부모가 자녀의 감정을 공감할 때, 자녀는 부모에게 더 많은 신뢰를 가지게 됩니다. 이는 자녀가 어려운 상황에서도 부모에게 의지하고, 도움을 요청할 수 있는 기반이 됩니다. 공감은 부모와 자녀 간의 신뢰를 강화하는 중요한 도구입니다.

마지막으로, 공감은 가족의 전체적인 행복을 증진시키는 데 중요한 역할을 합니다. 가족 구성원들이 서로의 감정을 공감하고 이해하는 태도를 가지면, 가족의 유대감이 강화되고, 모든 구성원이 행복하고 만족스러운 삶을 살 수 있게 됩니다. 공감은 가족의 조화와 행복을 유지하는 데 중요한 역할을 합니다.

부모와 자식 간의

신뢰와 유대감을 강화하기 위해서는

경청, 공감, 솔직함, 간결한 소통,

그리고 꾸준한 대화가 필요합니다

제 6 장

긍정적인 피드백 주기 격려와 칭찬의 중요성

긍정적인 피드백은 자녀의 행동, 학습 동기, 사회적 능력 등을 강화하고, 정서적 유대감과 행복을 증진시키는 중요한 요소입니다. 이는 자녀의 노력과 성취, 감정을 인정하는 진정성 있는 칭찬을 통해 이루어집니다.

피드백의 씨앗

긍정적인 피드백은 자녀의 자존감, 동기부여, 행동 강화, 성취감, 학습 동기, 정서적 안정, 사회적 능력, 문제 해결 능력, 창의력, 자율성, 그리고 가족의 전체적인 행복을 증진시키는 중요한 요소입니다.

긍정적인 피드백은 자녀의 자존감과 동기부여에 큰 영향을 미칩니다. 부모가 자녀의 노력을 인정하고 칭찬할 때, 자녀는 자신의 가치를 느끼며 자존감이 향상됩니다. 이는 자녀가 자신을 더욱 긍정적으로 인식하게 만들고, 어려운 상황에서도 포기하지 않고 도전하는 동기를 부여합니다.

긍정적인 피드백은 자녀의 행동을 강화하는 데 중요한 역할을 합니다. 자녀가 긍정적인 행동을 했을 때 부모가 이를 칭찬하면, 자녀는 그 행동을 반복하려는 경향이 있습니다. 이는 자녀가 바람직한 행동을 지속하게 만들고, 긍정적인 행동 패턴을 형성하는 데 도움이 됩니다. 긍정적인 피드백은 자녀의 긍정적인 행동을 강화하는 중요한 도구입니다.

긍정적인 피드백은 자녀의 성취감을 높이는 데도 큰 역할을 합니다. 자녀가 어떤 일을 성취했을 때 부모가 이를 칭찬하면, 자녀는 자신의 성취를 더욱 자랑스럽게 여기게 됩니다. 이는 자녀가 더 큰 목표를 향해 나아갈 수 있는 동기를 부여하며, 성취감이 높은 자녀는 더 많은 도전을 시도하게 됩니다.

긍정적인 피드백은 자녀의 학습 동기를 자극하는 데도 큰 도움이 됩니다. 부모가 자녀의 학습 과정에서 긍정적인 피드백을 제공하면, 자녀는 학습에 대한 흥미를 더욱 느끼게 됩니다. 이는 자녀가 학습에서 발생하는 어려움을 극복하고, 더 높은 학업 성취를 이루는 데 도움이 됩니다. 긍정적인 피드백은 자녀의 학습 동기를 강화하는 중요한 요소입니다.

긍정적인 피드백은 자녀의 정서적 안정에 긍정적인 영향을 미칩니다. 부모의 칭찬과 격려는 자녀에게 정서적 지지를 제공하며, 자녀는 자신의 감정을 건강하게 표현하고 관리할 수 있게 됩니다. 이는 자녀가 정서적으로 안정된 상태를 유지하고, 스트레스 상황에서도 긍정적으로 대응할 수 있는 능력을 키우는 데 도움이 됩니다.

긍정적인 피드백은 자녀의 사회적 능력 발달에도 긍정적인 영향을 미칩니다. 자녀가 부모로부터 긍정적인 피드백을 받을 때, 자녀는 타인의 칭찬과 격려를 받아들이는 법을 배우게 됩니다. 이는 자녀가 친구와의 관계에서 긍정적인 소통을 하고, 갈등을 해결하며, 협력하는 능력을 키우는 데 큰 도움이 됩니다.

긍정적인 피드백은 자녀의 문제 해결 능력을 키우는 데도 도움이 됩니다. 부모가 자녀의 노력을 인정하고 칭찬할 때, 자녀는 자신의 문제 해결 과정을 더 잘 이해하고, 자신감을 갖게 됩니다. 이는 자녀가 성인이 되었을 때 독립적으로 문제를 해결할 수 있는 능력을 갖추는 데 중요한 역할을 합니다. 긍정적인 피드백은 자녀의 문제 해결 능력을 향상시키는 중요한 도구입니다.

긍정적인 피드백은 자녀의 창의력을 자극하는 데도 큰 도움이 됩니다. 부모가 자녀의 창의적인 아이디어를 지지하고 칭찬할 때, 자녀는 자신의 창의력을 발전시킬 수 있습니다. 이는 자녀가 다양한 관점에서 문제를 바라보고, 창의적으로 해결하는 능력을 키우는 데 중요한 역할을 합니다. 긍정적인 피드백은 자녀의 창의력을 자극하는 중요한 요소입니다.

긍정적인 피드백은 자녀의 자율성을 존중하는 것과도 연결됩니다. 부모가 자녀의 노력을 인정하고 칭찬할 때, 자녀는 자신의 능력을 믿고, 자율적으로 행동할 수 있는 자신감을 얻게 됩니다. 이는 자녀가 독립적으로 생각하고 행동하는 능력을 기르는 데 중요한 역할을 합니다. 긍정적인 피드백은 자녀의 자율성을 존중하는 중요한 요소입니다.

마지막으로, 긍정적인 피드백은 가족의 전체적인 행복을 증진시키는 데 중요한 역할을 합니다. 가족 구성원들이 서로에게 긍정적인 피드백을 주고받는 환경은 가족의 유대감을 강화하고, 모든 구성원이 행복하고 만족스러운 삶을 살 수 있게 합니다. 긍정적인 피드백은 가족의 조화와 행복을 유지하는 데 중요한 역할을 합니다.

칭찬의 비료

긍정적인 피드백은 구체적이고 진정성 있게 제공되어야 하며, 자녀의 노력과 작은 성취, 감정을 인정하고, 정서적 유대감, 사회적 능력, 문제 해결 능력, 창의력, 자율성을 강화하는 데 중요한 역할을 합니다.

긍정적인 피드백은 구체적이고 진정성 있게 제공되어야 합니다. 구체적인 피드백은 자녀가 어떤 행동이 칭찬받을 만한지 명확하게 이해하게 합니다. 예를 들어, "잘했어"라는 말보다는

"네가 동생을 도와줘서 정말 기뻐"와 같이 구체적으로 칭찬하는 것이 효과적입니다. 이는 자녀가 자신의 행동을 명확히 인식하고, 반복하려는 동기를 부여합니다.

진정성 있는 칭찬은 자녀에게 진심으로 전달되어야 합니다. 부모가 자녀를 칭찬할 때, 그 칭찬이 진심에서 우러나온다는 것을 자녀가 느낄 수 있어야 합니다. 자녀는 부모의 진심 어린 칭찬을 통해 자신이 진정으로 인정받고 있음을 느끼게 됩니다. 이는 자녀의 자존감과 자신감을 높이는 데 큰 도움이 됩니다.

긍정적인 피드백은 자녀의 노력에 초점을 맞춰야 합니다. 자녀의 결과보다는 그 과정에서의 노력을 칭찬하는 것이 중요합니다. 예를 들어, "너는 정말 열심히 했어"와 같은 칭찬은 자녀가 노력의 가치를 인식하게 하고, 지속적인 노력을 하도록 격려합니다. 이는 자녀가 성취에 대한 내적 동기를 가지게 하는 데 도움이 됩니다.

부모는 자녀의 작은 성취도 놓치지 않고 칭찬해야 합니다. 자녀가 큰 성취를 이루지 못했더라도, 그 과정에서 보인 작은 노력과 발전을 칭찬하는 것이 중요합니다. 이는 자녀가 작은 성취도 소중히 여기고, 더 큰 목표를 향해 나아갈 수 있는 자신감을 얻게 합니다. 작은 성취에 대한 칭찬은 자녀의 지속적인 발전을 돕습니다.

긍정적인 피드백은 자녀의 감정을 인정하는 데도 활용될 수 있습니다. 자녀가 어려운 상황에서도 긍정적인 태도를 보였을 때, 부모는 이를 칭찬해야 합니다. 예를 들어, "네가 힘든 상황에서도 잘 견뎌줘서 정말 고마워"와 같은 칭찬은 자녀가 자신의 감정을 긍정적으로 관리하는 법을 배우게 합니다. 이는 자녀의 정서적 안정에 큰 도움이 됩니다.

부모는 자녀의 칭찬을 통해 자녀와의 정서적 유대감을 강화할 수 있습니다. 자녀가 칭찬을 받을 때, 자녀는 부모와의 정서적 유대감을 더 깊게 느끼게 됩니다. 이는 자녀가 부모에게 더 많은 신뢰를 가지게 하고, 부모와의 관계를 강화하는 데 도움이 됩니다. 칭찬은 부모와 자녀 간의 정서적 유대를 강화하는 중요한 도구입니다.

긍정적인 피드백은 자녀의 사회적 능력 발달에도 긍정적인 영향을 미칩니다. 자녀가 타인과의 관계에서 긍정적인 행동을 보였을 때 이를 칭찬하면, 자녀는 그 행동을 반복하려는 동기를 가지게 됩니다. 이는 자녀가 친구와의 관계에서 긍정적인 소통을 하고, 갈등을 해결하며, 협력하는 능력을 키우는 데 큰 도움이 됩니다.

부모는 자녀의 칭찬을 통해 자녀의 문제 해결 능력을 키울 수 있습니다. 자녀가 문제를 해결하려는 노력을 보였을 때 이를 칭찬하면, 자녀는 문제 해결 과정을 더 잘 이해하고, 자신감을 갖게 됩니다. 이는 자녀가 성인이 되었을 때 독립적으로 문제를 해결할 수 있는 능력을 갖추는 데 중요한 역할을 합니다.

긍정적인 피드백은 자녀의 창의력을 자극하는 데도 큰 도움이 됩니다. 부모가 자녀의 창의적인 아이디어를 지지하고 칭찬할 때, 자녀는 자신의 창의력을 발전시킬 수 있습니다. 이는 자녀가 다양한 관점에서 문제를 바라보고, 창의적으로 해결하는 능력을 키우는 데 중요한 역할을 합니다.

마지막으로, 긍정적인 피드백은 자녀의 자율성을 존중하는 것과도 연결됩니다. 부모가 자녀의 노력을 인정하고 칭찬할 때, 자녀는 자신의 능력을 믿고, 자율적으로 행동할 수 있는 자신감을 얻게 됩니다. 이는 자녀가 독립적으로 생각하고 행동하는 능력을 기르는 데 중요한 역할을 합니다.

성취의 열매

긍정적인 피드백은 자녀의 행동 변화, 성취감, 학습 동기, 정서적 안정, 사회적 능력, 문제 해결 능력, 창의력, 자율성, 정서적 유대감, 그리고 전반적인 행복을 증진시키는 중요한 요소입니다.

긍정적인 피드백은 자녀의 행동 변화를 촉진하는 데 중요한 역할을 합니다. 자녀가 긍정적인 피드백을 받을 때, 자녀는 그 행동을 반복하려는 동기를 가지게 됩니다. 이는 자녀가 바람직한 행동을 지속하게 만들고, 긍정적인 행동 패턴을 형성하는 데 도움이 됩니다. 긍정적인 피드백은 자녀의 행동 변화를 촉진하는 중요한 도구입니다.

긍정적인 피드백은 자녀의 성취감을 높이는 데도 큰 역할을 합니다. 자녀가 어떤 일을 성취했을 때 부모가 이를 칭찬하면, 자녀는 자신의 성취를 더욱 자랑스럽게 여기게 됩니다. 이는 자녀가 더 큰 목표를 향해 나아갈 수 있는 동기를 부여하며, 성취감이 높은 자녀는 더 많은 도전을 시도하게 됩니다.

긍정적인 피드백은 자녀의 학습 동기를 자극하는 데도 큰 도움이 됩니다. 부모가 자녀의 학습 과정에서 긍정적인 피드백을 제공하면, 자녀는 학습에 대한 흥미를 더욱 느끼게 됩니다. 이는 자녀가 학습에서 발생하는 어려움을 극복하고, 더 높은 학업 성취를 이루는 데 도움이 됩니다. 긍정적인 피드백은 자녀의 학습 동기를 강화하는 중요한 요소입니다.

긍정적인 피드백은 자녀의 정서적 안정에 긍정적인 영향을 미칩니다. 부모의 칭찬과 격려는 자녀에게 정서적 지지를 제공하며, 자녀는 자신의 감정을 건강하게 표현하고 관리할 수 있게 됩니다. 이는 자녀가 정서적으로 안정된 상태를 유지하고, 스트레스 상황에서도 긍정적으로 대응할 수 있는 능력을 키우는 데 도움이 됩니다.

긍정적인 피드백은 자녀의 사회적 능력 발달에도 긍정적인 영향을 미칩니다. 자녀가 부모로부터 긍정적인 피드백을 받을 때, 자녀는 타인의 칭찬과 격려를 받아들이는 법을 배우게 됩니다. 이는 자녀가 친구와의 관계에서 긍정적인 소통을 하고, 갈등을 해결하며, 협력하는 능력을 키우는 데 큰 도움이 됩니다.

긍정적인 피드백은 자녀의 문제 해결 능력을 키우는 데도 도움이 됩니다. 부모가 자녀의 노력을 인정하고 칭찬할 때, 자녀는 자신의 문제 해결 과정을 더 잘 이해하고, 자신감을 갖게 됩니다. 이는 자녀가 성인이 되었을 때 독립적으로 문제를 해결할 수 있는 능력을 갖추는 데 중요한 역할을 합니다.

긍정적인 피드백은 자녀의 창의력을 자극하는 데도 큰 도움이 됩니다. 부모가 자녀의 창의적인 아이디어를 지지하고 칭찬할 때, 자녀는 자신의 창의력을 발전시킬 수 있습니다. 이는 자녀가 다양한 관점에서 문제를 바라보고, 창의적으로 해결하는 능력을 키우는 데 중요한 역할을 합니다.

긍정적인 피드백은 자녀의 자율성을 존중하는 것과도 연결됩니다. 부모가 자녀의 노력을 인정하고 칭찬할 때, 자녀는 자신의 능력을 믿고, 자율적으로 행동할 수 있는 자신감을 얻게 됩니다. 이는 자녀가 독립적으로 생각하고 행동하는 능력을 기르는 데 중요한 역할을 합니다.

긍정적인 피드백은 자녀의 정서적 유대감을 강화하는 데도 중요한 역할을 합니다. 자녀가 칭찬을 받을 때, 자녀는 부모와의 정서적 유대감을 더 깊게 느끼게 됩니다. 이는 자녀가 부모에게 더 많은 신뢰를 가지게 하고, 부모와의 관계를 강화하는 데 도움이 됩니다.

마지막으로, 긍정적인 피드백은 자녀의 전반적인 행복을 증진시키는 데 중요한 역할을 합니다. 자녀가 긍정적인 피드백을 받을 때, 자녀는 자신의 가치를 인식하고, 행복감을 느끼게 됩니다. 이는 자녀가 더 만족스러운 삶을 살 수 있도록 돕습니다.

부모와 자식 간의

신뢰와 유대감을 강화하기 위해서는

경청, 공감, 솔직함, 간결한 소통,

그리고 꾸준한 대화가 필요합니다

제 7 장

솔직하게 말하기

감정과 생각을 솔직하게 표현하기

부모와 자녀간의 대화를 통해 신뢰와 행복을 증진시키려면, 진정성 있는 감정 표현, "나"를 주어로 하는 문장 사용, 공감과 해결책 모색, 적절한 시기 선택, 이해와 공감의 태도, 충분한 시간 제공, 그리고 자녀의 감정 존중이 필요합니다.

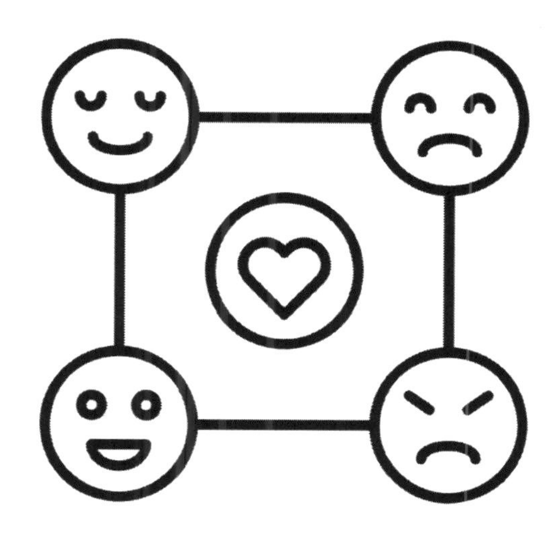

솔직함의 창

솔직하게 자신의 감정과 생각을 표현하는 것은 부모와 자녀 간의 신뢰를 강화하고, 자녀의 정서적 발달, 자아 존중감, 문제 해결 능력, 사회적 능력, 창의력, 자율성, 그리고 가족의 전체적인 행복을 증진시키는 중요한 요소입니다.

솔직하게 자신의 감정과 생각을 표현하는 것은 부모와 자식 간의 관계를 강화하는 데 매우 중요합니다. 부모가 자신의 감정을 솔직하게 표현할 때, 자녀는 부모가 진실되며 신뢰할 수 있는 사람임을 느끼게 됩니다. 이는 자녀에게 부모가 항상 정직하고 믿을 만한 존재임을 인식하게 하며, 부모와의 관계에서 신뢰를 쌓는 데 도움이 됩니다.

솔직함은 자녀에게 중요한 교훈을 제공합니다. 부모가 자신의 감정과 생각을 솔직하게 표현하는 모습을 보일 때, 자녀는 솔직함의 가치를 배우게 됩니다. 이는 자녀가 정직하고 진실되게 행동하는 법을 배우는 데 중요한 역할을 합니다. 자녀는 부모의 솔직한 태도를 본받아 자신의 감정과 생각을 솔직하게 표현하는 법을 배웁니다.

솔직하게 말하는 것은 부모와 자녀 간의 의사소통을 원활하게 만듭니다. 부모가 자신의 감정을 솔직하게 표현할 때, 자녀는 부모의 감정과 생각을 더 잘 이해하게 됩니다. 이는 자녀가 부모의 입장을 이해하고, 상호 간의 오해를 줄이는 데 도움이 됩니다. 솔직한 의사소통은 부모와 자녀 간의 상호 이해를 증진시키는 중요한 요소입니다.

솔직하게 자신의 감정을 표현하는 것은 자녀의 정서적 발달에 긍정적인 영향을 미칩니다. 부모가 자신의 감정을 솔직하게 표현할 때,

자녀는 자신의 감정을 이해하고 표현하는 법을 배우게 됩니다. 이는 자녀가 자신의 감정을 긍정적으로 관리하고, 정서적으로 안정된 상태를 유지하는 데 도움이 됩니다. 솔직한 감정 표현은 자녀의 정서적 발달을 촉진하는 중요한 요소입니다.

솔직함은 자녀의 자아 존중감을 높이는 데도 큰 도움이 됩니다. 부모가 자신의 감정을 솔직하게 표현할 때, 자녀는 부모로부터 존중받고 있다고 느끼게 됩니다. 이는 자녀가 자신의 감정을 솔직하게 표현할 수 있는 자신감을 얻게 하며, 자아 존중감을 높이는 데 중요한 역할을 합니다. 솔직한 의사소통은 자녀의 자아 존중감을 강화하는 중요한 도구입니다.

부모의 솔직함은 자녀의 문제 해결 능력을 향상시키는 데도 긍정적인 영향을 미칩니다. 부모가 자신의 감정을 솔직하게 표현하고, 자녀와 함께 문제를 해결하는 과정을 통해 자녀는 문제 해결 방법을 배우게 됩니다. 이는 자녀가 성인이 되었을 때 독립적으로 문제를 해결할 수 있는 능력을 갖추는 데 중요한 역할을 합니다. 솔직한 의사소통은 자녀의 문제 해결 능력을 향상시키는 중요한 요소입니다.

솔직하게 말하는 것은 자녀의 사회적 능력 발달에도 긍정적인 영향을 미칩니다. 부모가 자신의 감정을 솔직하게 표현하는 모습을 보일 때, 자녀는 타인의 감정을 이해하고 공감하는 법을 배우게 됩니다. 이는 자녀가 친구와의 관계에서 긍정적인 소통을 하고, 갈등을 해결하며, 협력하는 능력을 키우는 데 큰 도움이 됩니다. 솔직한 의사소통은 자녀의 사회적 능력 발달에 중요한 역할을 합니다.

부모의 솔직함은 자녀의 창의력을 자극하는 데도 큰 도움이 됩니다. 부모가 자신의 감정을 솔직하게 표현하고, 자녀의 창의적인 아이디어를 지지할 때, 자녀는 자신의 창의력을 발전시킬 수 있습니다. 이는 자녀가 다양한 관점에서 문제를 바라보고, 창의적으로 해결하는 능력을 키우는 데 중요한 역할을 합니다. 솔직한 의사소통은 자녀의 창의력을 자극하는 중요한 요소입니다.

솔직하게 말하는 것은 자녀의 자율성을 존중하는 것과도 연결됩니다. 부모가 자신의 감정을 솔직하게 표현할 때, 자녀는 자신의 감정을 솔직하게 표현할 수 있는 자신감을 얻게 됩니다. 이는 자녀가 독립적으로 생각하고 행동하는 능력을 기르는 데 중요한 역할을 합니다. 솔직한 의사소통은 자녀의 자율성을 존중하는 중요한 요소입니다.

마지막으로, 솔직하게 말하는 것은 가족의 전체적인 행복을 증진시키는 데 중요한 역할을 합니다. 가족 구성원들이 서로에게 솔직하게 감정과 생각을 표현하는 환경은 가족의 유대감을 강화하고, 모든 구성원이 행복하고 만족스러운 삶을 살 수 있게 합니다. 솔직한 의사소통은 가족의 조화와 행복을 유지하는 데 중요한 역할을 합니다.

표현의 문

감정과 생각을 솔직하게 표현하는 구체적인 방법으로는 구체적이고 진정성 있는 표현, "나"를 주어로 하는 문장 사용, 구체적인 예시, 감정 인정과 공감, 해결책 모색, 적절한 시기 선택, 이해와 공감의 태도, 진지한 태도, 충분한 시간 제공, 자녀의 감정 존중 등이 있습니다.

감정과 생각을 솔직하게 표현하는 구체적인 방법은 다음과 같습니다. 첫째, 부모는 자신의 감정을 구체적으로 표현해야 합니다. 예를 들어, "나는 지금 화가 나"보다는 "나는 네가 약속을 지키지 않아서 실망했고 화가 났어"라고 말하는 것이 좋습니다. 이는 자녀가 부모의 감정을 더 잘 이해하고, 자신도 비슷한 방식으로 감정을 표현하는 법을 배우게 합니다.

둘째, 부모는 "나"를 주어로 하는 문장을 사용해야 합니다. 이는 부모가 자신의 감정을 자녀에게 비난하거나 탓하지 않고, 자신의 감정임을 분명히 하는 데 도움이 됩니다. 예를 들어, "너는 항상..."보다는 "나는 네가 그럴 때..."라고 말하는 것이 좋습니다. 이는 자녀가 방어적으로 반응하지 않고, 부모의 감정을 더 잘 이해하게 만듭니다.

셋째, 부모는 감정을 표현할 때 구체적인 예를 들어야 합니다. 예를 들어, "너는 항상 말을 안 들어"보다는 "어제 내가 네 방을 청소해달라고 했을 때, 네가 그걸 무시해서 속상했어"라고 말하는 것이 좋습니다. 이는 자녀가 부모의 감정을 더 명확하게 이해하고, 자신의 행동을 돌아보게 만듭니다.

넷째, 부모는 자녀의 감정을 인정하고 공감하는 표현을 사용해야 합니다. 자녀가 자신의 감정을 표현할 때, 부모는 "네가 그렇게 느꼈다면 정말 힘들었겠구나", "그 상황에서 화가 나는 것이 당연해"와 같은 표현을 사용하여 자녀의 감정을 인정해줄 수 있습니다. 이는 자녀가 자신의 감정을 존중받고 있다고 느끼게 합니다.

다섯째, 부모는 자신의 감정을 솔직하게 표현하면서 자녀에게 해결책을 함께 모색하는 태도를 보여야 합니다. 예를 들어, "나는 네가 약속을 지키지 않아서 실망했어. 앞으로 우리가 어떻게 하면 좋을까?"라고 말하는 것이 좋습니다. 이는 자녀가 문제 해결에 적극적으로 참여하게 하고, 책임감을 느끼게 만듭니다.

여섯째, 부모는 감정을 표현할 때 적절한 시기를 선택해야 합니다. 즉각적인 반응보다는 상황을 잠시 지켜보고, 감정이 가라앉은 후에 솔직하게 대화하는 것이 좋습니다. 이는 감정적인 반응을 피하고, 보다 건설적인 대화를 나누는 데 도움이 됩니다.

일곱째, 부모는 자신의 감정을 표현할 때 비난이나 지적보다는 이해와 공감을 나타내는 태도를 가져야 합니다. 이는 자녀가 부모의 감정을 더 잘 받아들이고, 자신도 솔직하게 감정을 표현하는 데 자신감을 가지게 만듭니다. 공감적인 태도는 솔직한 대화를 촉진하는 중요한 요소입니다.

여덟째, 부모는 감정을 표현할 때 자녀와 눈을 맞추고 진지한 태도로 대화해야 합니다. 이는 자녀가 부모의 감정을 더 진지하게 받아들이게 하고, 부모와의 대화에서 집중하게 만듭니다. 진지한 태도는 솔직한 감정 표현을 강화하는 데 중요한 역할을 합니다.

아홉째, 부모는 자신의 감정을 표현할 때 자녀에게 충분한 시간을 주어야 합니다. 자녀가 부모의 감정을 이해하고, 자신의 생각과 감정을 표현할 수 있도록 시간을 주는 것이 중요합니다. 이는 자녀가 대화에 적극적으로 참여하게 하고, 상호 이해를 증진시키는 데 도움이 됩니다.

마지막으로, 부모는 자신의 감정을 솔직하게 표현하는 동시에 자녀의 감정을 존중해야 합니다. 자녀가 자신의 감정을 표현할 때, 부모는 이를 존중하고 경청하는 태도를 가져야 합니다. 이는 자녀가 자신의 감정을 솔직하게 표현하는 데 자신감을 가지게 하고, 부모와의 관계를 강화하는 데 도움이 됩니다.

신뢰의 빛

솔직한 대화는 부모와 자녀 간의 신뢰를 강화하고, 자녀의 정서적 발달, 자아존중감, 문제 해결 능력, 사회적 능력, 창의력, 자율성, 정서적 유대감, 그리고 전반적인 행복을 증진시키는 중요한 요소입니다.

솔직한 대화는 부모와 자식 간의 신뢰를 강화하는 데 중요한 역할을 합니다. 부모가 자신의 감정과 생각을 솔직하게 표현할 때, 자녀는 부모가 진실되며 신뢰할 수 있는 사람임을 느끼게 됩니다. 이는 자녀가 부모에게 더 많은 신뢰를 가지게 하고, 어려운 상황에서도 부모에게 의지할 수 있게 만듭니다.

솔직한 대화는 부모와 자녀 간의 상호 이해를 증진시킵니다. 부모가 자신의 감정을 솔직하게 표현할 때, 자녀는 부모의 입장을 더 잘 이해하게 됩니다. 이는 자녀가 부모의 감정과 생각을 존중하게 하고, 상호 간의 오해를 줄이는 데 도움이 됩니다. 솔직한 대화는 상호 이해를 증진시키는 중요한 요소입니다.

솔직한 대화는 자녀의 정서적 발달에 긍정적인 영향을 미칩니다. 부모가 자신의 감정을 솔직하게 표현할 때, 자녀는 자신의 감정을 이해하고 표현하는 법을 배우게 됩니다. 이는 자녀가 자신의 감정을 긍정적으로 관리하고, 정서적으로 안정된 상태를 유지하는 데 도움이 됩니다. 솔직한 감정 표현은 자녀의 정서적 발달을 촉진하는 중요한 요소입니다.

솔직한 대화는 자녀의 자아 존중감을 높이는 데도 큰 도움이 됩니다. 부모가 자신의 감정을 솔직하게 표현할 때, 자녀는 부모로부터 존중받고 있다고 느끼게 됩니다. 이는 자녀가 자신의 감정을 솔직하게 표현할 수 있는 자신감을 얻게 하며, 자아 존중감을 높이는 데 중요한 역할을 합니다. 솔직한 의사소통은 자녀의 자아 존중감을 강화하는 중요한 도구입니다.

솔직한 대화는 자녀의 문제 해결 능력을 향상시키는 데도 긍정적인 영향을 미칩니다. 부모가 자신의 감정을 솔직하게 표현하고, 자녀와 함께 문제를 해결하는 과정을 통해 자녀는 문제 해결 방법을 배우게 됩니다. 이는 자녀가 성인이 되었을 때 독립적으로 문제를 해결할 수 있는 능력을 갖추는 데 중요한 역할을 합니다. 솔직한 의사소통은 자녀의 문제 해결 능력을 향상시키는 중요한 요소입니다.

솔직한 대화는 자녀의 사회적 능력 발달에도 긍정적인 영향을 미칩니다. 부모가 자신의 감정을 솔직하게 표현하는 모습을 보일 때, 자녀는 타인의 감정을 이해하고 공감하는 법을 배우게 됩니다. 이는 자녀가 친구와의 관계에서 긍정적인 소통을 하고, 갈등을 해결하며, 협력하는 능력을 키우는 데 큰 도움이 됩니다. 솔직한 의사소통은 자녀의 사회적 능력 발달에 중요한 역할을 합니다.

솔직한 대화는 자녀의 창의력을 자극하는 데도 큰 도움이 됩니다. 부모가 자신의 감정을 솔직하게 표현하고, 자녀의 창의적인 아이디어를 지지할 때, 자녀는 자신의 창의력을 발전시킬 수 있습니다. 이는 자녀가 다양한 관점에서 문제를 바라보고, 창의적으로 해결하는 능력을 키우는 데 중요한 역할을 합니다. 솔직한 의사소통은 자녀의 창의력을 자극하는 중요한 요소입니다.

솔직한 대화는 자녀의 자율성을 존중하는 것과도 연결됩니다. 부모가 자신의 감정을 솔직하게 표현할 때, 자녀는 자신의 감정을 솔직하게 표현할 수 있는 자신감을 얻게 됩니다. 이는 자녀가 독립적으로 생각하고 행동하는 능력을 기르는 데 중요한 역할을 합니다. 솔직한 의사소통은 자녀의 자율성을 존중하는 중요한 요소입니다.

솔직한 대화는 자녀의 정서적 유대감을 강화하는 데도 중요한 역할을 합니다. 자녀가 부모와 솔직한 대화를 나눌 때, 자녀는 부모와의 정서적 유대감을 더 깊게 느끼게 됩니다. 이는 자녀가 부모에게 더 많은 신뢰를 가지게 하고, 부모와의 관계를 강화하는 데 도움이 됩니다. 솔직한 대화는 부모와 자녀 간의 정서적 유대를 강화하는 중요한 도구입니다.

마지막으로, 솔직한 대화는 자녀의 전반적인 행복을 증진시키는 데 중요한 역할을 합니다. 자녀가 부모와 솔직하게 대화할 수 있을 때, 자녀는 자신의 가치를 인식하고, 행복감을 느끼게 됩니다. 이는 자녀가 더 만족스러운 삶을 살 수 있도록 돕습니다.

제 8 장

반복하지 않기 효과적인 의사소통 방법

반복적인 부모-자녀 대화는 여러면에서 해로움을 끼치며, 대신 명확하고 간결한 말, 경청, 비언어적 의사소통, 열린 질문, 감정 인정, 긍정적 피드백, 침착한 대화, 대화 시간 마련, 피드백 교환, 유머 활용이 효과적입니다.

반복의 덫

반복적인 말은 대화의 질을 떨어뜨리고, 자녀의 자율성, 신뢰, 자아 존중감, 학습 동기, 사회적 능력, 창의력, 문제 해결 능력, 정서적 안정, 그리고 가족의 전체적인 행복을 저해할 수 있습니다.

반복해서 같은 말을 하는 것은 대화의 질을 떨어뜨리고, 의사소통의 효율성을 저해할 수 있습니다. 부모가 자녀에게 같은 말을 반복하면, 자녀는 부모의 말을 진지하게 받아들이지 않게 될 수 있습니다. 이는 자녀가 부모의 말을 무시하거나, 중요한 메시지를 놓치는 결과를 초래할 수 있습니다. 반복적인 말은 대화를 지루하고 비효율적으로 만들 수 있습니다.

반복적인 말은 자녀의 자율성과 독립성을 저해할 수 있습니다. 부모가 자녀에게 같은 말을 반복하면, 자녀는 자신의 문제를 스스로 해결하려는 동기를 잃게 될 수 있습니다. 이는 자녀가 독립적으로 생각하고 행동하는 능력을 기르는 데 방해가 됩니다. 반복적인 말은 자녀의 자율성을 저해하는 요소가 될 수 있습니다.

반복적인 말은 부모와 자녀 간의 신뢰를 약화시킬 수 있습니다. 부모가 자녀에게 같은 말을 반복하면, 자녀는 부모가 자신을 신뢰하지 않는다고 느낄 수 있습니다. 이는 자녀가 부모에게 신뢰를 잃고, 부모와의 관계에서 거리를 두게 만드는 결과를 초래할 수 있습니다. 반복적인 말은 부모와 자녀 간의 신뢰를 약화시키는 요소가 될 수 있습니다.

반복적인 말은 자녀의 자아 존중감을 낮출 수 있습니다. 부모가 자녀에게 같은 말을 반복하면, 자녀는 자신이 충분하지 않다는 느낌을 받을 수 있습니다. 이는 자녀의 자아 존중감을 약화시키고, 자신감이 감소하게 만듭니다. 반복적인 말은 자녀의 자아 존중감을 낮추는 요소가 될 수 있습니다.

반복적인 말은 자녀의 학습 동기를 저하시킬 수 있습니다. 부모가 자녀에게 같은 말을 반복하면, 자녀는 학습에 대한 흥미를 잃을 수 있습니다. 이는 자녀의 학업 성취도를 낮추고, 학습에서 발생하는 어려움을 극복하는 능력을 약화시킬 수 있습니다. 반복적인 말은 자녀의 학습 동기를 저해하는 요소가 될 수 있습니다.

반복적인 말은 자녀의 사회적 능력 발달에도 부정적인 영향을 미칠 수 있습니다. 자녀가 부모의 반복적인 말을 듣고 자라면, 자녀는 타인의 말을 경청하는 법을 배우지 못할 수 있습니다. 이는 자녀가 친구와의 관계에서 긍정적인 소통을 하고, 갈등을 해결하며, 협력하는 능력을 키우는 데 방해가 될 수 있습니다. 반복적인 말은 자녀의 사회적 능력 발달을 저해하는 요소가 될 수 있습니다.

반복적인 말은 자녀의 창의력을 억제할 수 있습니다. 부모가 자녀에게 같은 말을 반복하면, 자녀는 자신의 아이디어를 자유롭게 표현하지 못하게 됩니다. 이는 자녀의 창의적 사고를 저해하고, 문제 해결 능력을 제한할 수 있습니다. 반복적인 말은 자녀의 창의력을 억제하는 요소가 될 수 있습니다.

반복적인 말은 자녀의 문제 해결 능력을 키우는 데 방해가 될 수 있습니다. 부모가 자녀에게 같은 말을 반복하면, 자녀는 자신의 문제를 스스로 해결하려는 시도를 하지 않게 될 수 있습니다. 이는 자녀가 독립적으로 문제를 해결하는 능력을 기르는 데 방해가 됩니다. 반복적인 말은 자녀의 문제 해결 능력을 저해하는 요소가 될 수 있습니다.

반복적인 말은 자녀의 정서적 안정에도 부정적인 영향을 미칠 수 있습니다. 부모가 자녀에게 같은 말을 반복하면, 자녀는 정서적으로 부담을 느낄 수 있습니다. 이는 자녀가 자신의 감정을 자유롭게 표현하지 못하게 하고, 정서적으로 불안정한 상태를 유지하게 만들 수 있습니다. 반복적인 말은 자녀의 정서적 안정을 저해하는 요소가 될 수 있습니다.

마지막으로, 반복적인 말은 가족의 전체적인 행복을 저해할 수 있습니다. 가족 구성원들이 서로에게 같은 말을 반복하면, 가족의 유대감이 약화되고, 모든 구성원이 불만족스러운 삶을 살게 될 수 있습니다. 반복적인 말은 가족의 조화와 행복을 저해하는 요소가 될 수 있습니다.

의사소통의 바람

효과적으로 의사소통하는 방법으로는 명확하고 간결하게 말하기, 경청하는 자세, 비언어적 의사소통, 열린 질문 사용, 감정 인정과 공감, 긍정적인 피드백 제공, 침착한 대화, 대화를 위한 시간 마련, 피드백 주고받기, 그리고 유머 사용 등이 있습니다.

효과적으로 의사소통하는 방법은 다양합니다. 첫째, 명확하고 간결하게 말하는 것이 중요합니다. 부모가 자녀에게 전달하고자 하는 메시지를 명확하고 간결하게 표현하면, 자녀는 그 메시지를 더 잘 이해할 수 있습니다. 이는 대화의 효율성을 높이고, 오해를 줄이는 데 도움이 됩니다. 명확하고 간결한 의사소통은 효과적인 대화를 위한 기본입니다.

둘째, 경청하는 자세를 갖추는 것이 중요합니다. 부모가 자녀의 말을 경청할 때, 자녀는 자신의 의견이 존중받고 있다고 느끼게 됩니다. 이는 자녀가 부모와의 대화에서 자신감을 가지게 하고, 상호 이해를 증진시키는 데 도움이 됩니다. 경청은 효과적인 의사소통의 중요한 요소입니다.

셋째, 비언어적 의사소통을 활용하는 것이 좋습니다. 부모가 자녀와 대화할 때, 눈을 마주치고 고개를 끄덕이는 등의 비언어적 신호를 사용하면, 자녀는 부모의 관심과 이해를 느끼게 됩니다. 이는 대화의 질을 높이고, 상호 이해를 증진시키는 데 도움이 됩니다. 비언어적 의사소통은 대화를 더욱 풍부하게 만듭니다.

넷째, 열린 질문을 사용하는 것이 효과적입니다. 부모가 자녀에게 "네가 어떻게 생각해?"와 같은 열린 질문을 하면, 자녀는 자신의 생각을 자유롭게 표현할 수 있게 됩니다. 이는 자녀가 창의적으로 사고하고, 문제를 해결하는 능력을 키우는 데 도움이 됩니다. 열린 질문은 자녀의 사고력을 자극하는 중요한 도구입니다.

다섯째, 감정을 인정하고 공감하는 태도를 가지는 것이 중요합니다. 자녀가 자신의 감정을 표현할 때, 부모는 "네가 그렇게 느끼는 것이 당연해"와 같은 표현을 사용하여 자녀의 감정을 인정하고 공감해줄 수 있습니다. 이는 자녀가 자신의 감정을 긍정적으로 관리하는 법을 배우게 하고, 정서적 안정을 유지하는 데 도움이 됩니다. 감정 인정과 공감은 효과적인 의사소통의 핵심 요소입니다.

여섯째, 긍정적인 피드백을 제공하는 것이 좋습니다. 자녀가 긍정적인 행동을 보였을 때, 부모가 이를 칭찬하면 자녀는 그 행동을 반복하려는 동기를 가지게 됩니다. 이는 자녀가 바람직한 행동을 지속하게 만들고, 긍정적인 행동 패턴을 형성하는 데 도움이 됩니다. 긍정적인 피드백은 효과적인 의사소통의 중요한 도구입니다.

일곱째, 갈등 상황에서도 침착하게 대화하는 것이 중요합니다. 부모가 자녀와의 갈등 상황에서 침착하게 대화하면, 자녀는 부모의 침착함을 본받아 자신의 감정을 더 잘 관리하게 됩니다. 이는 갈등을 건설적으로 해결하는 데 도움이 됩니다. 침착한 대화는 갈등 상황에서의 효과적인 의사소통을 위한 중요한 요소입니다.

여덟째, 자녀와의 대화를 위한 시간을 따로 마련하는 것이 좋습니다. 부모가 자녀와의 대화를 위한 시간을 따로 마련하면, 자녀는 부모와의 대화에서 더 집중하고, 자신의 생각과 감정을 자유롭게 표현할 수 있게 됩니다. 이는 부모와 자녀 간의 관계를 강화하고, 상호 이해를 증진시키는 데 도움이 됩니다.

아홉째, 대화 중에 피드백을 주고받는 것이 중요합니다. 부모와 자녀가 대화 중에 서로의 의견에 대해 피드백을 주고받으면, 상호 이해가 증진되고, 대화의 질이 높아집니다. 이는 부모와 자녀 간의 신뢰를 강화하는 데도 도움이 됩니다.

마지막으로, 유머를 사용하는 것이 효과적입니다. 부모가 자녀와의 대화에서 유머를 사용하면, 자녀는 대화에서 더 편안하게 느끼고, 자신의 생각과 감정을 자유롭게 표현할 수 있게 됩니다. 유머는 대화의 긴장을 완화하고, 상호 이해를 증진시키는 데 도움이 됩니다.

집중의 강물

반복을 피한 대화는 자녀의 집중력, 자율성, 신뢰, 자아 존중감, 학습 동기, 사회적 능력, 창의력, 문제 해결 능력, 정서적 안정, 그리고 가족의 전체적인 행복을 증진시키는 중요한 요소입니다.

반복을 피한 대화는 더 의미 있고 집중된 대화를 가능하게 합니다. 부모가 자녀와의 대화에서 반복을 피하면, 자녀는 부모의 말을 더 진지하게 받아들이게 됩니다. 이는 자녀가 부모의 말을 경청하고, 중요한 메시지를 놓치지 않게 하는 데 도움이 됩니다. 반복을 피한 대화는 자녀의 집중력을 높이는 중요한 요소입니다.

반복을 피한 대화는 자녀의 자율성과 독립성을 증진시킵니다. 부모가 자녀에게 같은 말을 반복하지 않으면, 자녀는 자신의 문제를 스스로 해결하려는 동기를 가지게 됩니다. 이는 자녀가 독립적으로 생각하고 행동하는 능력을 기르는 데 도움이 됩니다. 반복을 피한 대화는 자녀의 자율성을 존중하는 중요한 요소입니다.

반복을 피한 대화는 부모와 자녀 간의 신뢰를 강화합니다. 부모가 자녀에게 같은 말을 반복하지 않으면, 자녀는 부모가 자신을 신뢰한다고 느끼게 됩니다. 이는 자녀가 부모에게 더 많은 신뢰를 가지게 하고, 부모와의 관계를 강화하는 데 도움이 됩니다. 반복을 피한 대화는 부모와 자녀 간의 신뢰를 강화하는 중요한 요소입니다.

반복을 피한 대화는 자녀의 자아 존중감을 높입니다. 부모가 자녀에게 같은 말을 반복하지 않으면, 자녀는 자신의 의견이 존중받고 있다고 느끼게 됩니다. 이는 자녀가 자신의 감정을 솔직하게 표현할 수 있는 자신감을 얻게 하며, 자아 존중감을 높이는 데 중요한 역할을 합니다. 반복을 피한 대화는 자녀의 자아 존중감을 강화하는 중요한 도구입니다.

반복을 피한 대화는 자녀의 학습 동기를 자극합니다. 부모가 자녀에게 같은 말을 반복하지 않으면, 자녀는 학습에 대한 흥미를 유지하게 됩니다. 이는 자녀가 학습에서 발생하는 어려움을 극복하고, 더 높은 학업 성취를 이루는 데 도움이 됩니다. 반복을 피한 대화는 자녀의 학습 동기를 강화하는 중요한 요소입니다.

반복을 피한 대화는 자녀의 사회적 능력 발달에도 긍정적인 영향을 미칩니다. 부모가 자녀와의 대화에서 반복을 피하면, 자녀는 타인의 말을 경청하는 법을 배우게 됩니다. 이는 자녀가 친구와의 관계에서 긍정적인 소통을 하고, 갈등을 해결하며, 협력하는 능력을 키우는 데 큰 도움이 됩니다. 반복을 피한 대화는 자녀의 사회적 능력 발달을 촉진하는 중요한 요소입니다.

반복을 피한 대화는 자녀의 창의력을 자극합니다. 부모가 자녀에게 같은 말을 반복하지 않으면, 자녀는 자신의 아이디어를 자유롭게 표현할 수 있게 됩니다. 이는 자녀의 창의적 사고를 촉진하고, 문제 해결 능력을 향상시키는 데 도움이 됩니다. 반복을 피한 대화는 자녀의 창의력을 자극하는 중요한 요소입니다.

반복을 피한 대화는 자녀의 문제 해결 능력을 키우는 데 도움이 됩니다. 부모가 자녀에게 같은 말을 반복하지 않으면, 자녀는 자신의 문제를 스스로 해결하려는 시도를 하게 됩니다. 이는 자녀가 독립적으로 문제를 해결하는 능력을 기르는 데 중요한 역할을 합니다. 반복을 피한 대화는 자녀의 문제 해결 능력을 향상시키는 중요한 요소입니다.

반복을 피한 대화는 자녀의 정서적 안정을 도모합니다. 부모가 자녀에게 같은 말을 반복하지 않으면, 자녀는 정서적으로 부담을 느끼지 않고, 자신의 감정을 자유롭게 표현할 수 있게 됩니다. 이는 자녀가 정서적으로 안정된 상태를 유지하는 데 도움이 됩니다. 반복을 피한 대화는 자녀의 정서적 안정을 촉진하는 중요한 요소입니다.

마지막으로, 반복을 피한 대화는 가족의 전체적인 행복을 증진시킵니다. 가족 구성원들이 서로에게 같은 말을 반복하지 않으면, 가족의 유대감이 강화되고, 모든 구성원이 행복하고 만족스러운 삶을 살 수 있게 됩니다. 반복을 피한 대화는 가족의 조화와 행복을 유지하는 데 중요한 역할을 합니다.

제 9 장

짧고 간결하게 말하기 아이가 이해하기 쉬운 말로 전달하기

간결한 표현은 부모와 자녀 간 대화의 효과를 높이고, 자녀의 이해도와 주의 집중, 자아 존중감을 향상시킵니다. 또한 이는 자녀의 학습 능력, 정서적 안정, 문제 해결 능력, 사회적 능력을 향상시키며, 전체 가족의 행복을 증진시킵니다.

간결함의 열쇠

짧고 간결하게 말하는 것은 자녀의 주의 집중, 자아 존중감, 명확한 의사 전달, 표현력 향상, 학습 능력, 정서적 안정, 문제 해결 능력, 사회적 능력, 그리고 가족의 전체적인 행복을 증진시키는 중요한 요소입니다.

짧고 간결하게 말하는 것은 부모와 자녀 간의 소통을 원활하게 만드는 중요한 요소입니다. 부모가 길고 복잡한 문장 대신 짧고 간결한 문장을 사용하면, 자녀는 부모의 말을 더 쉽게 이해할 수 있습니다. 이는 자녀가 부모의 메시지를 명확히 파악하게 하고, 소통의 효율성을 높이는 데 도움이 됩니다. 간결함은 효과적인 소통의 열쇠입니다.

짧고 간결한 표현은 자녀의 주의 집중을 유지하는 데도 중요합니다. 어린 아이들은 긴 시간 동안 집중하기 어려워합니다. 부모가 짧고 간결하게 말하면, 자녀는 부모의 말을 끝까지 경청할 가능성이 높아집니다. 이는 자녀가 중요한 정보를 놓치지 않고, 부모의 메시지를 명확히 이해하는 데 도움이 됩니다. 주의 집중은 효과적인 소통을 위한 중요한 요소입니다.

부모가 짧고 간결하게 말하면, 자녀는 자신이 존중받고 있다고 느끼게 됩니다. 긴 설명을 피하고, 명확하고 간결한 메시지를 전달함으로써 부모는 자녀의 시간을 존중하고, 자녀가 중요한 사람임을 나타낼 수 있습니다. 이는 자녀의 자아 존중감을 높이는 데 큰 도움이 됩니다. 존중은 건강한 부모 자식 관계를 유지하는 데 중요한 요소입니다.

짧고 간결한 표현은 부모의 의도를 명확히 전달하는 데 효과적입니다. 길고 복잡한 문장은 자녀에게 혼란을 줄 수 있습니다. 반면, 짧고 간결한 문장은 부모의 의도를 명확하게 전달하고, 자녀가 부모의 말을 오해하지 않도록 합니다. 명확한 의사 전달은 오해를 줄이고, 상호 이해를 증진시키는 데 중요한 역할을 합니다.

부모가 짧고 간결하게 말하면, 자녀는 자신의 생각을 더 잘 표현할 수 있게 됩니다. 자녀는 부모의 말을 쉽게 이해하고, 자신의 생각을 명확히 표현하는 법을 배우게 됩니다. 이는 자녀가 자신의 의견을 자유롭게 표현하고, 자신감을 갖게 만드는 데 중요한 역할을 합니다. 자녀의 표현력 향상은 효과적인 소통을 위한 중요한 요소입니다.

짧고 간결한 표현은 자녀의 학습 능력을 향상시키는 데도 도움이 됩니다. 부모가 자녀에게 학습 내용을 짧고 간결하게 설명하면, 자녀는 학습 내용을 더 쉽게 이해하고 기억할 수 있습니다. 이는 자녀가 학습에서 발생하는 어려움을 극복하고, 더 높은 학업 성취를 이루는 데 도움이 됩니다. 간결한 설명은 자녀의 학습 능력 향상에 중요한 역할을 합니다.

부모가 짧고 간결하게 말하면, 자녀는 자신의 감정을 더 잘 이해하고 표현할 수 있게 됩니다. 자녀는 부모의 간결한 표현을 통해 자신의 감정을 명확히 이해하고, 이를 적절하게 표현하는 법을 배우게 됩니다. 이는 자녀의 정서적 안정에 큰 도움이 됩니다. 정서적 안정은 자녀의 전반적인 발달에 중요한 요소입니다.

짧고 간결한 표현은 자녀의 문제 해결 능력을 키우는 데도 도움이 됩니다. 부모가 자녀에게 문제 해결 방법을 짧고 간결하게 설명하면, 자녀는 문제를 더 명확히 이해하고 해결할 수 있게 됩니다. 이는 자녀가 독립적으로 문제를 해결하는 능력을 기르는 데 중요한 역할을 합니다. 문제 해결 능력은 자녀의 자립성을 키우는 데 중요한 요소입니다.

부모가 짧고 간결하게 말하면, 자녀는 사회적 능력을 향상시키는 데도 큰 도움이 됩니다. 자녀는 부모의 간결한 표현을 통해 타인의 말을 경청하고, 자신의 의견을 명확히 전달하는 법을 배우게 됩니다. 이는 자녀가 친구와의 관계에서 긍정적인 소통을 하고, 갈등을 해결하며, 협력하는 능력을 키우는 데 큰 도움이 됩니다. 사회적 능력 향상은 자녀의 전반적인 발달에 중요한 요소입니다.

마지막으로, 짧고 간결한 표현은 가족의 전체적인 행복을 증진시키는 데 중요한 역할을 합니다. 가족 구성원들이 서로에게 짧고 간결하게 말하면, 가족의 유대감이 강화되고, 모든 구성원이 행복하고 만족스러운 삶을 살 수 있게 됩니다. 간결한 소통은 가족의 조화와 행복을 유지하는 데 중요한 역할을 합니다.

표현의 등불

아이가 쉽게 이해할 수 있는 말로 전달하는 방법으로는 쉬운 단어와 문장 사용, 구체적인 예시 제공, 시각적인 도구 활용, 자녀의 반응 관찰, 질문 던지기, 반복적인 설명, 간결한 문장 사용, 긍정적인 언어 사용, 천천히 말하기, 유머 사용 등이 있습니다.

아이에게 쉽게 이해할 수 있는 말로 전달하는 방법은 다음과 같습니다. 첫째, 부모는 쉬운 단어와 문장을 사용해야 합니다. 어린 아이들은 복잡한 단어나 문장을 이해하기 어려워합니다. 부모가 쉬운 단어와 문장을 사용하면, 자녀는 부모의 말을 더 쉽게 이해할 수 있습니다. 이는 대화의 효율성을 높이고, 자녀의 이해를 돕는 데 중요한 역할을 합니다.

둘째, 부모는 구체적인 예시를 들어 설명하는 것이 좋습니다. 추상적인 개념보다는 구체적인 예시를 통해 설명하면, 자녀는 그 개념을 더 쉽게 이해할 수 있습니다. 예를 들어, "좋은 행동을 하라"는 말보다는 "친구를 도와주고, 쓰레기를 쓰레기통에 버려라"와 같이 구체적으로 말하는 것이 효과적입니다. 구체적인 예시는 자녀의 이해를 돕는 중요한 도구입니다.

셋째, 부모는 시각적인 도구를 활용할 수 있습니다. 그림이나 사진, 도표 등을 사용하여 설명하면, 자녀는 그 내용을 더 쉽게 이해하고 기억할 수 있습니다. 시각적인 도구는 자녀의 이해를 돕고, 학습 동기를 자극하는 데 큰 도움이 됩니다. 시각적인 도구 활용은 효과적인 소통을 위한 중요한 방법입니다.

넷째, 부모는 자녀의 반응을 주의 깊게 관찰해야 합니다. 자녀가 이해하지 못하는 표정을 짓거나, 질문을 반복하는 경우 부모는 설명을 더 쉽게 하거나, 다른 예시를 들어줄 필요가 있습니다. 자녀의 반응을 주의 깊게 관찰하면, 부모는 자녀가 이해하고 있는지를 확인할 수 있습니다. 반응 관찰은 효과적인 의사소통을 위한 중요한 요소입니다.

다섯째, 부모는 자녀에게 질문을 던져야 합니다. 질문을 통해 자녀가 얼마나 이해하고 있는지 확인할 수 있습니다. 또한, 질문을 통해 자녀는 자신의 생각을 표현하고, 더 깊이 이해할 수 있는 기회를 갖게 됩니다. 질문은 자녀의 이해를 확인하고, 사고력을 자극하는 중요한 도구입니다.

여섯째, 부모는 자녀의 이해를 돕기 위해 반복해서 설명할 수 있습니다. 단, 동일한 방식으로 반복하는 것이 아니라, 다른 방식이나 예시를 통해 설명하는 것이 좋습니다. 반복적인 설명은 자녀가 내용을 확실히 이해하고 기억하는 데 도움이 됩니다. 반복적인 설명은 효과적인 이해를 위한 중요한 방법입니다.

일곱째, 부모는 자녀와의 대화에서 간결한 문장을 사용해야 합니다. 복잡한 문장보다는 간결하고 명확한 문장을 사용하면, 자녀는 부모의 말을 더 쉽게 이해할 수 있습니다. 간결한 문장은 자녀의 이해를 돕고, 소통의 효율성을 높이는 중요한 요소입니다.

여덟째, 부모는 자녀에게 설명할 때 긍정적인 언어를 사용해야 합니다. 긍정적인 언어는 자녀에게 더 나은 인상을 주며, 자녀가 부모의 말을 더 잘 받아들이게 만듭니다. 이는 자녀의 이해를 돕고, 대화의 질을 높이는 데 중요한 역할을 합니다. 긍정적인 언어 사용은 효과적인 의사소통을 위한 중요한 방법입니다.

아홉째, 부모는 자녀에게 설명할 때 천천히 말하는 것이 좋습니다. 빠른 속도로 말하면 자녀가 이해하기 어려울 수 있습니다. 천천히 말하면 자녀는 부모의 말을 더 잘 이해할 수 있으며, 중요한 정보를 놓치지 않게 됩니다. 천천히 말하기는 자녀의 이해를 돕고, 소통의 질을 높이는 중요한 요소입니다.

마지막으로, 부모는 자녀와의 대화에서 유머를 사용할 수 있습니다. 유머는 자녀의 관심을 끌고, 대화를 더 즐겁게 만듭니다. 자녀는 유머를 통해 부모의 말을 더 잘 이해하고, 대화에 적극적으로 참여하게 됩니다. 유머 사용은 자녀의 이해를 돕고, 대화의 질을 높이는 중요한 방법입니다.

이해의 길

간결한 표현은 자녀의 이해를 돕고, 주의 집중을 유지하며, 자아 존중감을 높이고, 명확한 의사 전달, 표현력 향상, 학습 능력, 정서적 안정, 문제 해결 능력, 사회적 능력, 그리고 가족의 전체적인 행복을 증진시키는 중요한 요소입니다.

간결한 표현은 아이의 이해를 돕고, 효과적인 소통을 촉진합니다. 부모가 간결한 표현을 사용하면, 자녀는 부모의 말을 더 쉽게 이해할 수 있습니다. 이는 자녀가 중요한 정보를 명확히 파악하게 하고, 오해를 줄이는 데 도움이 됩니다. 간결한 표현은 자녀의 이해를 돕는 중요한 요소입니다.

간결한 표현은 자녀의 주의 집중을 유지하는 데도 긍정적인 영향을 미칩니다. 어린 아이들은 긴 시간 동안 집중하기 어려워합니다. 부모가 간결하게 말하면, 자녀는 부모의 말을 끝까지 경청할 가능성이 높아집니다. 이는 자녀가 중요한 정보를 놓치지 않고, 부모의 메시지를 명확히 이해하는 데 도움이 됩니다.

부모가 간결한 표현을 사용하면, 자녀는 자신이 존중받고 있다고 느끼게 됩니다. 긴 설명을 피하고, 명확하고 간결한 메시지를 전달함으로써 부모는 자녀의 시간을 존중하고, 자녀가 중요한 사람임을 나타낼 수 있습니다. 이는 자녀의 자아 존중감을 높이는 데 큰 도움이 됩니다.

간결한 표현은 부모의 의도를 명확히 전달하는 데 효과적입니다. 길고 복잡한 문장은 자녀에게 혼란을 줄 수 있습니다. 반면, 간결한 문장은 부모의 의도를 명확하게 전달하고, 자녀가 부모의 말을 오해하지 않도록 합니다. 명확한 의사 전달은 오해를 줄이고, 상호 이해를 증진시키는 데 중요한 역할을 합니다.

부모가 간결한 표현을 사용하면, 자녀는 자신의 생각을 더 잘 표현할 수 있게 됩니다. 자녀는 부모의 말을 쉽게 이해하고, 자신의 생각을 명확히 표현하는 법을 배우게 됩니다. 이는 자녀가 자신의 의견을 자유롭게 표현하고, 자신감을 갖게 만드는 데 중요한 역할을 합니다.

간결한 표현은 자녀의 학습 능력을 향상시키는 데도 도움이 됩니다. 부모가 자녀에게 학습 내용을 간결하게 설명하면, 자녀는 학습 내용을 더 쉽게 이해하고 기억할 수 있습니다. 이는 자녀가 학습에서 발생하는 어려움을 극복하고, 더 높은 학업 성취를 이루는 데 도움이 됩니다.

부모가 간결한 표현을 사용하면, 자녀는 자신의 감정을 더 잘 이해하고 표현할 수 있게 됩니다. 자녀는 부모의 간결한 표현을 통해 자신의 감정을 명확히 이해하고, 이를 적절하게 표현하는 법을 배우게 됩니다. 이는 자녀의 정서적 안정에 큰 도움이 됩니다.

간결한 표현은 자녀의 문제 해결 능력을 키우는 데도 도움이 됩니다. 부모가 자녀에게 문제 해결 방법을 간결하게 설명하면, 자녀는 문제를 더 명확히 이해하고 해결할 수 있게 됩니다. 이는 자녀가 독립적으로 문제를 해결하는 능력을 기르는 데 중요한 역할을 합니다.

부모가 간결한 표현을 사용하면, 자녀는 사회적 능력을 향상시키는 데도 큰 도움이 됩니다. 자녀는 부모의 간결한 표현을 통해 타인의 말을 경청하고, 자신의 의견을 명확히 전달하는 법을 배우게 됩니다. 이는 자녀가 친구와의 관계에서 긍정적인 소통을 하고, 갈등을 해결하며, 협력하는 능력을 키우는 데 큰 도움이 됩니다.

마지막으로, 간결한 표현은 가족의 전체적인 행복을 증진시키는 데 중요한 역할을 합니다. 가족 구성원들이 서로에게 간결하게 말하면, 가족의 유대감이 강화되고, 모든 구성원이 행복하고 만족스러운 삶을 살 수 있게 됩니다.

부모와 자식 간의

신뢰와 유대감을 강화하기 위해서는

경청, 공감, 솔직함, 간결한 소통,

그리고 꾸준한 대화가 필요합니다

제 10 장

대화의 일상화
꾸준한 대화의 중요성

부모와 자녀간의 대화는 신뢰, 정서적 안정, 자아 존중감 등을 증진하며, 가족의 행복에 중요합니다. 이를 위한 방법으로는 정기적인 대화 시간, 자녀의 관심사에 대한 질문, 가족 활동, 긍정적 피드백, 목표 설정, 유머 사용 등이 있습니다.

일상의 멜로디

일상적으로 대화하는 것은 자녀의 정서적 안정, 자아 존중감, 사회적 능력, 학습 능력, 문제 해결 능력, 창의력, 자율성, 신뢰, 그리고 가족의 전체적인 행복을 증진시키는 중요한 요소입니다.

일상적으로 대화하는 것은 부모와 자녀 간의 관계를 강화하는 데 매우 중요한 요소입니다. 부모와 자녀가 일상적으로 대화를 나누면, 서로의 생활과 감정을 더 잘 이해하게 되고, 상호 간의 유대감이 강화됩니다. 일상적인 대화는 부모와 자녀 간의 소통을 원활하게 하고, 서로를 더 깊이 이해하는 데 큰 도움이 됩니다.

꾸준한 대화는 자녀의 정서적 안정을 도모합니다. 자녀가 부모와 자주 대화를 나누면, 자신의 감정과 생각을 표현하는 데 자신감을 얻게 됩니다. 이는 자녀가 정서적으로 안정된 상태를 유지하는 데 큰 도움이 됩니다. 정서적 안정은 자녀의 전반적인 발달에 중요한 요소입니다.

일상적인 대화는 자녀의 자아 존중감을 높입니다. 부모가 자녀와 일상적으로 대화를 나누면, 자녀는 자신이 중요한 존재임을 느끼게 됩니다. 이는 자녀의 자아 존중감을 높이는 데 큰 도움이 됩니다. 자아 존중감은 자녀의 정신적 건강과 전반적인 발달에 중요한 역할을 합니다.

꾸준한 대화는 자녀의 사회적 능력 발달에도 긍정적인 영향을 미칩니다. 부모와 자주 대화를 나누는 자녀는 타인의 감정을 이해하고 공감하는 법을 배우게 됩니다. 이는 자녀가 친구와의 관계에서 긍정적인 소통을 하고, 갈등을 해결하며, 협력하는 능력을 키우는 데 큰 도움이 됩니다. 사회적 능력 발달은 자녀의 전반적인 성장에 중요한 요소입니다.

일상적인 대화는 자녀의 학습 능력을 향상시키는 데도 도움이 됩니다. 부모가 자녀와 일상적으로 대화를 나누면, 자녀는 학습에 대한 흥미를 유지하고, 학습에서 발생하는 어려움을 극복하는 데 필요한 지원을 받게 됩니다. 이는 자녀가 더 높은 학업 성취를 이루는 데 도움이 됩니다. 학습 능력 향상은 자녀의 전반적인 발달에 중요한 요소입니다.

꾸준한 대화는 자녀의 문제 해결 능력을 키우는 데도 큰 도움이 됩니다. 부모와 자주 대화를 나누는 자녀는 자신의 문제를 해결하는 데 필요한 조언과 지지를 받을 수 있습니다. 이는 자녀가 독립적으로 문제를 해결하는 능력을 기르는 데 중요한 역할을 합니다. 문제 해결 능력은 자녀의 자립성을 키우는 데 중요한 요소입니다.

일상적인 대화는 자녀의 창의력을 자극하는 데도 도움이 됩니다. 부모와 자주 대화를 나누는 자녀는 자신의 아이디어를 자유롭게 표현할 수 있는 기회를 얻게 됩니다. 이는 자녀가 다양한 관점에서 문제를 바라보고, 창의적으로 해결하는 능력을 키우는 데 큰 도움이 됩니다. 창의력은 자녀의 전반적인 발달에 중요한 요소입니다.

꾸준한 대화는 자녀의 자율성을 존중하는 것과도 연결됩니다. 부모가 자녀와 일상적으로 대화를 나누면, 자녀는 자신의 생각과 감정을 자유롭게 표현할 수 있는 자신감을 얻게 됩니다. 이는 자녀가 독립적으로 생각하고 행동하는 능력을 기르는 데 중요한 역할을 합니다. 자율성은 자녀의 독립성을 키우는 데 중요한 요소입니다.

일상적인 대화는 부모와 자녀 간의 신뢰를 강화하는 데도 큰 도움이 됩니다. 부모와 자주 대화를 나누는 자녀는 부모에게 더 많은 신뢰를 가지게 되고, 어려운 상황에서도 부모에게 의지할 수 있게 됩니다. 이는 부모와 자녀 간의 관계를 강화하고, 상호 간의 신뢰를 증진시키는 데 중요한 역할을 합니다.

마지막으로, 일상적인 대화는 가족의 전체적인 행복을 증진시키는 데 중요한 역할을 합니다. 가족 구성원들이 서로에게 꾸준히 대화를 나누면, 가족의 유대감이 강화되고, 모든 구성원이 행복하고 만족스러운 삶을 살 수 있게 됩니다. 일상적인 대화는 가족의 조화와 행복을 유지하는 데 중요한 역할을 합니다.

실천의 리듬

일상 속에서 대화를 자연스럽게 끌어내는 방법으로는 정기적인 대화 시간 정하기, 자녀의 관심사에 대해 질문하기, 가족 활동을 통한 대화 촉진, 감정 인정과 공감, 일상적인 사건 이야기하기, 긍정적인 피드백 제공, 목표 설정과 노력, 자녀의 의견 존중과 반영, 대화를 위한 공간 마련, 유머 사용 등이 있습니다.

일상 속에서 대화를 자연스럽게 끌어내는 방법은 다양합니다. 첫째, 정기적인 대화 시간을 정하는 것이 중요합니다. 예를 들어, 저녁 식사 시간이나 잠자기 전 시간을 대화 시간으로 정하면, 자녀는 일상적으로 부모와 대화를 나누는 습관을 기를 수 있습니다. 정기적인 대화 시간은 부모와 자녀 간의 소통을 지속적으로 유지하는 데 큰 도움이 됩니다.

둘째, 자녀의 관심사에 대해 질문하는 것이 좋습니다. 자녀가 관심을 가지는 주제에 대해 질문하면, 자녀는 자신의 생각과 감정을 더 자유롭게 표현하게 됩니다. 이는 자녀와의 대화를 자연스럽게 이끌어내고, 자녀의 의견을 존중하는 데 중요한 역할을 합니다.

셋째, 가족 활동을 통해 대화를 촉진할 수 있습니다. 가족과 함께하는 활동은 자연스럽게 대화를 나누는 기회를 제공합니다. 예를 들어, 산책, 요리, 게임 등 가족과 함께하는 시간을 통해 자녀와의 대화를 자연스럽게 끌어낼 수 있습니다. 가족 활동은 부모와 자녀 간의 유대감을 강화하는 데 큰 도움이 됩니다.

넷째, 자녀의 감정을 인정하고 공감하는 태도를 가지는 것이 중요합니다. 자녀가 자신의 감정을 표현할 때, 부모는 이를 인정하고 공감해주는 태도를 보여야 합니다. 이는 자녀가 자신의 감정을 자유롭게 표현하는 데 자신감을 가지게 하고, 부모와의 대화를 지속적으로 이어가는 데 도움이 됩니다.

다섯째, 일상적인 사건에 대해 이야기하는 것이 좋습니다. 자녀와 함께 하루 동안 있었던 일이나 계획에 대해 이야기하면, 자녀는 자신의 일상을 부모와 공유하는 습관을 기르게 됩니다. 이는 자녀와의 대화를 자연스럽게 이끌어내고, 자녀의 생활을 더 잘 이해하는 데 도움이 됩니다.

여섯째, 긍정적인 피드백을 자주 제공하는 것이 좋습니다. 자녀가 긍정적인 행동을 보였을 때, 부모가 이를 칭찬하면 자녀는 그 행동을 반복하려는 동기를 가지게 됩니다. 이는 자녀와의 대화를 긍정적으로 이끌어가는 데 큰 도움이 됩니다. 긍정적인 피드백은 자녀의 자아 존중감을 높이는 중요한 요소입니다.

일곱째, 자녀와 함께 목표를 설정하고 이를 이루기 위해 함께 노력하는 것이 좋습니다. 부모와 자녀가 함께 목표를 설정하고 이를 이루기 위해 노력하는 과정에서 자연스럽게 대화를 나누게 됩니다. 이는 자녀의 목표 달성을 지원하고, 부모와의 관계를 강화하는 데 큰 도움이 됩니다.

여덟째, 자녀의 의견을 존중하고 반영하는 태도를 가지는 것이 중요합니다. 자녀가 자신의 의견을 표현할 때, 부모는 이를 존중하고 가능한 한 반영하는 태도를 보여야 합니다. 이는 자녀가 자신의 의견이 존중받고 있다고 느끼게 하고, 부모와의 대화를 지속적으로 이어가는 데 도움이 됩니다.

아홉째, 자녀와의 대화를 위한 공간을 마련하는 것이 좋습니다. 부모와 자녀가 대화를 나누기 좋은 공간을 마련하면, 자녀는 그 공간에서 자유롭게 대화를 나누는 습관을 기르게 됩니다. 이는 부모와 자녀 간의 대화를 지속적으로 유지하는 데 큰 도움이 됩니다.

마지막으로, 부모는 자녀와의 대화에서 유머를 사용하는 것이 좋습니다. 유머는 자녀의 관심을 끌고, 대화를 더 즐겁게 만듭니다. 자녀는 유머를 통해 부모의 말을 더 잘 이해하고, 대화에 적극적으로 참여하게 됩니다. 유머 사용은 자녀와의 대화를 자연스럽게 이끌어내는 중요한 방법입니다.

유대의 심포니

꾸준한 대화는 부모와 자녀 간의 신뢰를 증진시키고, 자녀의 정서적 안정, 자아 존중감, 사회적 능력, 학습 능력, 문제 해결 능력, 창의력, 자율성, 그리고 가족의 전체적인 행복을 증진시키는 중요한 요소입니다.

꾸준한 대화는 부모와 자식 간의 관계를 지속적으로 강화하는 데 중요한 역할을 합니다. 부모와 자녀가 꾸준히 대화를 나누면, 서로의 생활과 감정을 더 잘 이해하게 되고, 상호 간의 유대감이 강화됩니다. 이는 부모와 자녀 간의 신뢰를 증진시키고, 서로에게 의지할 수 있는 관계를 형성하는 데 큰 도움이 됩니다.

꾸준한 대화는 자녀의 정서적 안정을 도모합니다. 자녀가 부모와 자주 대화를 나누면, 자신의 감정과 생각을 표현하는 데 자신감을 얻게 됩니다. 이는 자녀가 정서적으로 안정된 상태를 유지하는 데 큰 도움이 됩니다. 정서적 안정은 자녀의 전반적인 발달에 중요한 요소입니다.

꾸준한 대화는 자녀의 자아 존중감을 높입니다. 부모가 자녀와 꾸준히 대화를 나누면, 자녀는 자신이 중요한 존재임을 느끼게 됩니다. 이는 자녀의 자아 존중감을 높이는 데 큰 도움이 됩니다. 자아 존중감은 자녀의 정신적 건강과 전반적인 발달에 중요한 역할을 합니다.

꾸준한 대화는 자녀의 사회적 능력 발달에도 긍정적인 영향을 미칩니다. 부모와 자주 대화를 나누는 자녀는 타인의 감정을 이해하고 공감하는 법을 배우게 됩니다. 이는 자녀가 친구와의 관계에서 긍정적인 소통을 하고, 갈등을 해결하며, 협력하는 능력을 키우는 데 큰 도움이 됩니다. 사회적 능력 발달은 자녀의 전반적인 성장에 중요한 요소입니다.

꾸준한 대화는 자녀의 학습 능력을 향상시키는 데도 도움이 됩니다. 부모가 자녀와 꾸준히 대화를 나누면, 자녀는 학습에 대한 흥미를 유지하고, 학습에서 발생하는 어려움을 극복하는 데 필요한 지원을 받게 됩니다. 이는 자녀가 더 높은 학업 성취를 이루는 데 도움이 됩니다. 학습 능력 향상은 자녀의 전반적인 발달에 중요한 요소입니다.

꾸준한 대화는 자녀의 문제 해결 능력을 키우는 데도 큰 도움이 됩니다. 부모와 자주 대화를 나누는 자녀는 자신의 문제를 해결하는 데 필요한 조언과 지지를 받을 수 있습니다. 이는 자녀가 독립적으로 문제를 해결하는 능력을 기르는 데 중요한 역할을 합니다. 문제 해결 능력은 자녀의 자립성을 키우는 데 중요한 요소입니다.

꾸준한 대화는 자녀의 창의력을 자극하는 데도 도움이 됩니다. 부모와 자주 대화를 나누는 자녀는 자신의 아이디어를 자유롭게 표현할 수 있는 기회를 얻게 됩니다. 이는 자녀가 다양한 관점에서 문제를 바라보고, 창의적으로 해결하는 능력을 키우는 데 큰 도움이 됩니다. 창의력은 자녀의 전반적인 발달에 중요한 요소입니다.

꾸준한 대화는 자녀의 자율성을 존중하는 것과도 연결됩니다. 부모가 자녀와 꾸준히 대화를 나누면, 자녀는 자신의 생각과 감정을 자유롭게 표현할 수 있는 자신감을 얻게 됩니다. 이는 자녀가 독립적으로 생각하고 행동하는 능력을 기르는 데 중요한 역할을 합니다. 자율성은 자녀의 독립성을 키우는 데 중요한 요소입니다.

꾸준한 대화는 부모와 자녀 간의 신뢰를 강화하는 데도 큰 도움이 됩니다. 부모와 자주 대화를 나누는 자녀는 부모에게 더 많은 신뢰를 가지게 되고, 어려운 상황에서도 부모에게 의지할 수 있게 됩니다. 이는 부모와 자녀 간의 관계를 강화하고, 상호 간의 신뢰를 증진시키는 데 중요한 역할을 합니다.

마지막으로, 꾸준한 대화는 가족의 전체적인 행복을 증진시키는 데 중요한 역할을 합니다. 가족 구성원들이 서로에게 꾸준히 대화를 나누면, 가족의 유대감이 강화되고, 모든 구성원이 행복하고 만족스러운 삶을 살 수 있게 됩니다. 꾸준한 대화는 가족의 조화와 행복을 유지하는 데 중요한 역할을 합니다.

부모와 자식 간의

신뢰와 유대감을 강화하기 위해서는

경청, 공감, 솔직함, 간결한 소통,

그리고 꾸준한 대화가 필요합니다

결론 부모와 자식 간의 신뢰 형성

부모와 자녀 간 신뢰와 소통은 자녀의 정서적 안정, 학습 능력, 창의력 등을 증진시키고 전반적인 행복에 중요합니다. 이를 통해 가족 행복을 증진시키며, 부모는 듣기, 개방형 질문, 현재 집중, 충고 피하기, 공감, 긍정적 피드백, 솔직히 말하기 등을 통해 이를 실현할 수 있습니다.

신뢰의 기둥

부모와 자식 간의 신뢰는 정서적 안정, 자아 존중감, 자율성과 독립성, 학습 능력, 사회적 능력, 창의력, 문제 해결 능력, 정서적 유대감, 전반적인 행복, 그리고 가족의 전체적인 행복을 증진시키는 중요한 요소입니다.

부모와 자식 간의 신뢰는 가족 관계의 근간을 이루는 중요한 요소입니다. 신뢰가 형성되면 자녀는 부모에게 자신의 감정과 생각을 솔직하게 털어놓을 수 있게 됩니다. 이는 자녀가 정서적으로 안정된 상태를 유지하는 데 큰 도움이 됩니다. 정서적 안정은 자녀의 전반적인 발달에 중요한 역할을 합니다.

신뢰는 자녀의 자아 존중감을 높이는 데도 큰 영향을 미칩니다. 부모가 자녀를 신뢰하면, 자녀는 자신이 중요한 존재임을 느끼게 됩니다. 이는 자녀의 자아 존중감을 높이고, 자신감을 키우는 데 큰 도움이 됩니다. 자아 존중감은 자녀의 정신적 건강과 전반적인 발달에 중요한 역할을 합니다.

신뢰는 자녀의 자율성과 독립성을 증진시키는 데도 중요한 역할을 합니다. 부모가 자녀를 신뢰하면, 자녀는 자신의 문제를 스스로 해결하려는 동기를 가지게 됩니다. 이는 자녀가 독립적으로 생각하고 행동하는 능력을 기르는 데 중요한 역할을 합니다. 자율성과 독립성은 자녀의 자립성을 키우는 데 중요한 요소입니다.

신뢰는 자녀의 학습 능력 향상에도 긍정적인 영향을 미칩니다. 부모가 자녀를 신뢰하면, 자녀는 학습에 대한 흥미를 유지하고, 학습에서 발생하는 어려움을 극복하는 데 필요한 지원을 받게 됩니다. 이는 자녀가 더 높은 학업 성취를 이루는 데 도움이 됩니다. 학습 능력 향상은 자녀의 전반적인 발달에 중요한 요소입니다.

신뢰는 자녀의 사회적 능력 발달에도 긍정적인 영향을 미칩니다. 부모가 자녀를 신뢰하면, 자녀는 타인의 감정을 이해하고 공감하는 법을 배우게 됩니다. 이는 자녀가 친구와의 관계에서 긍정적인 소통을 하고, 갈등을 해결하며, 협력하는 능력을 키우는 데 큰 도움이 됩니다. 사회적 능력 발달은 자녀의 전반적인 성장에 중요한 요소입니다.

신뢰는 자녀의 창의력을 자극하는 데도 큰 도움이 됩니다. 부모가 자녀를 신뢰하면, 자녀는 자신의 아이디어를 자유롭게 표현할 수 있게 됩니다. 이는 자녀가 다양한 관점에서 문제를 바라보고, 창의적으로 해결하는 능력을 키우는 데 큰 도움이 됩니다. 창의력은 자녀의 전반적인 발달에 중요한 요소입니다.

신뢰는 자녀의 문제 해결 능력을 키우는 데도 중요한 역할을 합니다. 부모가 자녀를 신뢰하면, 자녀는 자신의 문제를 스스로 해결하려는 시도를 하게 됩니다. 이는 자녀가 독립적으로 문제를 해결하는 능력을 기르는 데 중요한 역할을 합니다. 문제 해결 능력은 자녀의 자립성을 키우는 데 중요한 요소입니다.

신뢰는 자녀의 정서적 유대감을 강화하는 데도 큰 도움이 됩니다. 부모가 자녀를 신뢰하면, 자녀는 부모와의 관계에서 더 깊은 유대감을 느끼게 됩니다. 이는 자녀가 부모에게 더 많은 신뢰를 가지게 하고, 부모와의 관계를 강화하는 데 도움이 됩니다. 정서적 유대감은 자녀의 전반적인 발달에 중요한 요소입니다.

신뢰는 자녀의 전반적인 행복을 증진시키는 데 중요한 역할을 합니다. 부모와 자녀 간의 신뢰가 형성되면, 자녀는 자신의 삶에 만족감을 느끼게 됩니다. 이는 자녀가 더 행복하고 만족스러운 삶을 살 수 있도록 돕습니다. 전반적인 행복은 자녀의 정신적 건강과 전반적인 발달에 중요한 요소입니다.

마지막으로, 신뢰는 가족의 전체적인 행복을 증진시키는 데 중요한 역할을 합니다. 가족 구성원들이 서로를 신뢰하면, 가족의 유대감이 강화되고, 모든 구성원이 행복하고 만족스러운 삶을 살 수 있게 됩니다. 신뢰는 가족의 조화와 행복을 유지하는 데 중요한 역할을 합니다.

소통의 다리

소통은 부모와 자녀 간의 신뢰를 증진시키고, 자녀의 정서적 안정, 자아 존중감, 자율성과 독립성, 학습 능력, 사회적 능력, 창의력, 문제 해결 능력, 정서적 유대감, 그리고 전반적인 행복을 증진시키는 중요한 요소입니다.

소통은 신뢰 형성에 중요한 기여를 합니다. 부모와 자녀가 원활하게 소통하면, 서로의 감정과 생각을 더 잘 이해하게 되고, 상호 간의 신뢰가 강화됩니다. 소통은 부모와 자녀 간의 관계를 강화하고, 서로에게 의지할 수 있는 기반을 마련하는 데 중요한 역할을 합니다.

소통은 자녀의 정서적 안정에 긍정적인 영향을 미칩니다. 부모와 자녀가 자주 소통하면, 자녀는 자신의 감정과 생각을 표현하는 데 자신감을 얻게 됩니다. 이는 자녀가 정서적으로 안정된 상태를 유지하는 데 큰 도움이 됩니다. 정서적 안정은 자녀의 전반적인 발달에 중요한 역할을 합니다.

소통은 자녀의 자아 존중감을 높이는 데도 큰 영향을 미칩니다. 부모가 자녀와 자주 소통하면, 자녀는 자신이 중요한 존재임을 느끼게 됩니다. 이는 자녀의 자아 존중감을 높이고, 자신감을 키우는 데 큰 도움이 됩니다. 자아 존중감은 자녀의 정신적 건강과 전반적인 발달에 중요한 역할을 합니다.

소통은 자녀의 자율성과 독립성을 증진시키는 데도 중요한 역할을 합니다. 부모가 자녀와 자주 소통하면, 자녀는 자신의 문제를 스스로 해결하려는 동기를 가지게 됩니다. 이는 자녀가 독립적으로 생각하고 행동하는 능력을 기르는 데 중요한 역할을 합니다. 자율성과 독립성은 자녀의 자립성을 키우는 데 중요한 요소입니다.

소통은 자녀의 학습 능력 향상에도 긍정적인 영향을 미칩니다. 부모가 자녀와 자주 소통하면, 자녀는 학습에 대한 흥미를 유지하고, 학습에서 발생하는 어려움을 극복하는 데 필요한 지원을 받게 됩니다. 이는 자녀가 더 높은 학업 성취를 이루는 데 도움이 됩니다. 학습 능력 향상은 자녀의 전반적인 발달에 중요한 요소입니다.

소통은 자녀의 사회적 능력 발달에도 긍정적인 영향을 미칩니다. 부모가 자녀와 자주 소통하면, 자녀는 타인의 감정을 이해하고 공감하는 법을 배우게 됩니다. 이는 자녀가 친구와의 관계에서 긍정적인 소통을 하고, 갈등을 해결하며, 협력하는 능력을 키우는 데 큰 도움이 됩니다. 사회적 능력 발달은 자녀의 전반적인 성장에 중요한 요소입니다.

소통은 자녀의 창의력을 자극하는 데도 큰 도움이 됩니다. 부모가 자녀와 자주 소통하면, 자녀는 자신의 아이디어를 자유롭게 표현할 수 있게 됩니다. 이는 자녀가 다양한 관점에서 문제를 바라보고, 창의적으로 해결하는 능력을 키우는 데 큰 도움이 됩니다. 창의력은 자녀의 전반적인 발달에 중요한 요소입니다.

소통은 자녀의 문제 해결 능력을 키우는 데도 중요한 역할을 합니다. 부모가 자녀와 자주 소통하면, 자녀는 자신의 문제를 스스로 해결하려는 시도를 하게 됩니다. 이는 자녀가 독립적으로 문제를 해결하는 능력을 기르는 데 중요한 역할을 합니다. 문제 해결 능력은 자녀의 자립성을 키우는 데 중요한 요소입니다.

소통은 자녀의 정서적 유대감을 강화하는 데도 큰 도움이 됩니다. 부모가 자녀와 자주 소통하면, 자녀는 부모와의 관계에서 더 깊은 유대감을 느끼게 됩니다. 이는 자녀가 부모에게 더 많은 신뢰를 가지게 하고, 부모와의 관계를 강화하는 데 도움이 됩니다. 정서적 유대감은 자녀의 전반적인 발달에 중요한 요소입니다.

마지막으로, 소통은 자녀의 전반적인 행복을 증진시키는 데 중요한 역할을 합니다. 부모와 자녀가 자주 소통하면, 자녀는 자신의 삶에 만족감을 느끼게 됩니다. 이는 자녀가 더 행복하고 만족스러운 삶을 살 수 있도록 돕습니다. 전반적인 행복은 자녀의 정신적 건강과 전반적인 발달에 중요한 요소입니다.

부록: 영감 주는 인용구

열정과 노력 "열정을 잃지 않고 실패에서 실패로 걸어가는 것이 성공이다." – 윈스턴 처칠

용기와 도전 "성공의 비결은 무엇보다도 자신감을 갖고 도전하는 것이다." – 레이 크록

행동과 변화 "위대한 일은 시작할 때 이루어진다." – 루소

성공과 실패 "실패는 성공의 어머니이다." – 한국 속담

행동의 힘 "작은 행동이 큰 변화를 만든다." – 달라이 라마

자기 신뢰 "자신을 믿어라. 그러면 세상이 길을 열어줄 것이다." – 랄프 왈도 에머슨

미래의 힘 "미래는 우리가 오늘 무엇을 하는가에 달려 있다." – 마하트마 간디

집중의 중요성 "당신의 집중력이 당신의 현실을 만든다." – 오프라 윈프리

결단력 "결단력이 없는 꿈은 공상이 될 뿐이다." – 헨리 데이비드 소로우

행복한 삶 "행복은 성취의 부산물이다." – 엘리너 루스벨트

희망의 빛 "어두운 곳에서도 희망의 빛을 찾을 수 있다." – 넬슨 만델라

변화의 힘 "변화는 당신이 만드는 것이다." – 조앤 롤링

내면의 힘 "내면의 힘은 외부의 도전에 맞설 수 있다." – 지그 지글러

배움의 길 "배움은 끝이 없다." – 레오나르도 다 빈치

자신감과 용기 "자신감을 갖고 용기를 내어 앞으로 나아가라." – 나폴레옹 힐

변화를 만드는 행동 "행동은 변화의 씨앗을 뿌린다." – 존 F. 케네디

지속적인 성장 "성장은 끝나지 않는 여정이다." – 마크 트웨인

희망의 꿈 "꿈꾸는 자는 희망을 품고 있다." – 아리스토텔레스

내일의 시작 "내일은 오늘의 시작이다." – 마리 퀴리

미래의 비전 "미래는 당신의 비전에 달려 있다." – 피터 드러커

목표의식 "명확한 목표를 가지고 있다면 절반은 성공한 것이다." – 알렉산더 그레이엄 벨

계속 전진하기 "꿈을 향해 걸어가라. 어떤 난관이 있더라도 계속 걸어가라." – 마틴 루터 킹 주니어

지속적인 노력 "지속적인 노력은 당신을 원하는 곳으로 데려다 줄 것이다." – 코비 브라이언트

작가 인사말 혜천(慧天) 이지해

안녕하세요, 작가 이지해입니다. "부모와 자식 간의 더 나은 대화를 위한 10가지 방법"은 소통과 건강한 관계 형성에 도움을 주며, 대화에 대한 도전을 해결하는 방법을 제공합니다.

이 책의 예시와 방법들은 관계를 강화하고 효과적인 소통을 돕습니다. 이를 통해 중요한 순간을 더 잘 이해하고, 대화의 기회를 놓치지 않게 될 것입니다.

부모와 자식 간의 소통은 단순히 말을 주고받는 것 이상으로, 서로의 마음을 이해하고 신뢰를 쌓는 과정입니다. 이 책은 그런 과정을 도와주기 위해 기획되었으며, 부모와 자식 간의 대화에서 발생할 수 있는 다양한 문제와 그 해결책을 제시합니다.

자녀의 이야기를 듣는 것, 개방적 질문을 하는 것, 현재에 집중하는 것 등의 구체적인 대화 방법들은 일상 생활에서 쉽게 적용할 수 있으며, 부모와 자녀 모두에게 긍정적인 변화를 가져올 것입니다.

저는 이 책을 통해 모든 부모님들이 자녀와의 대화를 개선하고 마음을 깊이 이해하시길 바랍니다. 부모와 자식의 관계는 소중하며, 꾸준한 노력이 필요합니다.

이 책이 여러분의 여정에 도움이 되고, 자녀와의 더 나은 소통을 이루며 멋진 부모가 되시길 바랍니다. 이 과정에서 깊은 유대감을 형성하시길 기원합니다. 감사합니다.

마무리 Epilogue

이 책에서 다룬 대화 방법들은 부모와 자녀 간의 신뢰를 형성하고, 자녀의 정서적 안정, 자아 존중감, 자율성과 독립성, 학습 능력, 사회적 능력, 창의력, 문제 해결 능력, 정서적 유대감, 그리고 전반적인 행복을 증진시키는 데 큰 도움이 됩니다. 부모는 이 방법들을 실천하여 자녀와의 관계를 강화하고, 자녀가 더 행복하고 만족스러운 삶을 살 수 있도록 도울 수 있습니다.

이 책에서 다룬 대화 방법들은 부모와 자녀 간의 신뢰를 형성하는 데 큰 도움이 됩니다. 첫째, 적극적으로 듣기와 개방형 질문하기는 자녀의 의견을 존중하고, 자녀가 자신의 생각과 감정을 자유롭게 표현할 수 있는 기회를 제공합니다. 이는 자녀의 자아 존중감과 자신감을 높이는 데 큰 도움이 됩니다.

둘째, 현재에 집중하기와 단순한 충고 피하기는 부모와 자녀 간의 신뢰를 강화하는 데 중요한 역할을 합니다. 부모가 자녀와의 시간을 소중히 여기고, 자녀의 의견을 존중하면, 자녀는 자신이 중요한 존재임을 느끼게 됩니다. 이는 자녀의 자아 존중감을 높이고, 부모와의 신뢰를 증진시키는 데 큰 도움이 됩니다.

셋째, 공감하기와 긍정적인 피드백 주기는 자녀의 정서적 안정과 자아 존중감을 높이는 데 중요한 역할을 합니다. 부모가 자녀의 감정을 이해하고 공감해줄 때, 자녀는 자신의 감정을 긍정적으로 관리하고, 정서적으로 안정된 상태를 유지할 수 있게 됩니다.

넷째, 솔직하게 말하기와 반복하지 않기는 부모와 자녀 간의 소통을 원활하게 만듭니다. 부모가 자신의 감정과 생각을 솔직하게 표현하고, 반복을 피한 대화를 나누면, 자녀는 부모의 말을 더 잘 이해하고, 부모와의 신뢰를 강화하게 됩니다.

다섯째, 짧고 간결하게 말하기와 대화의 일상화는 부모와 자녀 간의 소통을 지속적으로 유지하는 데 큰 도움이 됩니다. 부모가 자녀와 짧고 간결하게 대화를 나누고, 일상적으로 대화를 지속하면, 자녀는 부모와의 관계에서 더 많은 신뢰를 가지게 됩니다.

이 책에서 제시한 대화 방법들은 부모와 자녀 간의 신뢰를 증진시키고, 자녀의 전반적인 발달을 돕는 중요한 요소들입니다. 부모는 이 방법들을 실천하여 자녀와의 관계를 강화하고, 자녀가 더 행복하고 만족스러운 삶을 살 수 있도록 도울 수 있습니다.